# happy

## PETITES LEÇONS DE BONHEUR VENUES DU MONDE ENTIER

# LES PRINCIPES

# BONHEUR ET VOYAGE

Préface de Maureen Wheeler, cofondatrice des éditions Lonely Planet

UNE HISTOIRE CÉLÈBRE raconte les aventures de deux enfants partis courir le monde à la recherche de l'oiseau bleu, pour finalement le découvrir, à leur retour, dans leur propre jardin. L'oiseau bleu symbolise bien sûr le bonheur. Bonheur que l'on ne trouve que lorsqu'on cesse de le chercher, dit la morale de l'histoire. Quoi que puissent prétendre certains films romantiques, se lancer sur les routes en quête du bonheur est généralement voué à l'échec. Car précisément les moments de joie pure surviennent quand on s'oublie soi-même et que l'on se concentre sur autre chose que ses propres sentiments, désirs ou objectifs.

Voyager dans un pays étranger, où l'on perd tous ses repères familiers, exacerbe notre perception du monde extérieur, nous incite à prêter attention aux moindres détails pour tenter de comprendre ce qui se passe autour de nous. Captivé par ce nouvel univers que nous découvrons, nous sommes moins centré sur nous-même que dans notre environnement habituel, et cette situation exacerbe nos émotions.

Les voyages nous conduisent dans des lieux d'une merveilleuse beauté, nous exposent à des scènes de misère terribles et nous amènent à méditer sur la multitude d'êtres dont le monde se compose. Mais les moments qui nous marquent le plus, dont on se souvient le plus longtemps après notre retour, sont souvent ceux où l'on a simplement laissé du temps au temps. Ces moments où l'on a contemplé un lever ou un coucher de soleil, où l'on s'est promené dans une cité en ruine ou dans un vénérable temple, où l'on a rencontré quelqu'un qui était curieux de nous comme nous étions curieux de lui, où l'on a échangé des impressions avec d'autres voyageurs. Des moments comme on peut en vivre tous les jours en voyage mais qui finalement nous marquent profondément et changent notre regard quand on revient dans la "vraie" vie.

La possibilité de s'ouvrir à une autre culture, de voir le monde d'un autre point de vue, de se percevoir soi-même comme un étranger : c'est ça l'aventure du voyage. Le plaisir que l'on en tire est lié à cette liberté nouvelle, à cette ouverture à de nouvelles possibilités, à cet abandon de la routine et du train-train de la vie quotidienne. Mais le bonheur en voyage, c'est de prendre conscience de la chance que l'on a d'être dans un endroit donné, à un moment donné, et de comprendre alors combien le monde est merveilleux !

# INTRODUCTION

LE BONHEUR : un mot, sept lettres, quelque sept milliards de définitions, autant que d'êtres humains sur la Terre.

Les recherches en neurosciences sur les émotions ont beaucoup progressé ces dernières années. Le niveau de bonheur de chacun serait déterminé à environ 50% par les gènes, à 10% par les facteurs extérieurs, les derniers 40% correspondant à notre part de bonheur qu'il est en notre pouvoir de changer. Oui l'argent nous procure un certain bonheur, mais seulement dans la mesure où il nous assure un minimum de sécurité : un toit, des soins en cas de maladie et quelques distractions. Des études récentes confirment qu'au-delà, les expériences vécues apportent davantage de bonheur à long terme que les possessions. Avis aux voyageurs !

En Occident, les habitants bénéficient de services médicaux, d'une prévention sociale et d'une espérance de vie meilleurs que jamais. Aux États-Unis, la recherche du bonheur est un droit fondamental inscrit dans la déclaration d'Indépendance. Mais alors que de nombreux pays occidentaux arrivent en tête de liste des pays globalement les plus heureux, nombre d'entre eux se distinguent par le pourcentage de leur population en dépression ou souffrant de troubles psychiques.

Les chercheurs qui étudient le bonheur vous diront que ce n'est pas une nouvelle voiture ni une paire de chaussures qui vous rendront vraiment heureux. Les désirs suscités par la société de consommation sont des leurres. Au contraire, ce qui nous apporte le plus de joie, ce sont certains des aspects les plus simples de la vie, communs à toutes les cultures : les rencontres, la sollicitude, la gratitude, les jeux.

Ce livre donne des exemples précis, mais il en existe des milliards d'autres à travers le monde : consacrer du temps à ses parents (p. 99 : Tsagaan Sar en Mongolie), mieux vivre le présent (p. 43 : méditation *zazen* au Japon), être reconnaissant de ce que l'on reçoit (p. 33 : Thanksgiving aux États-Unis) ou juste faire la fête ensemble après la récolte (p. 109 : Crop Over, à La Barbade).

Le voyage a le mérite de nous ouvrir l'esprit, les yeux et l'âme sur la place que les différentes cultures accordent au bonheur, qu'il s'agisse de pays riches (p. 111 : *hygge* au Danemark) ou de territoires où se nourrir demeure un problème quotidien (p. 83 : se faire beau dans le Sahel).

Que vous ayez sillonné la moitié du monde, ou que vous vous soyez simplement rendu dans le parc national le plus proche, voire à une fête qui se déroulait dans la rue au pied de chez vous, vous avez probablement ressenti ça… le bonheur ? un sentiment d'appartenance ? de joie, peut-être ? Les athlètes parleront d'état de "*flow*" (concentration sur l'action en cours durant laquelle on perd la conscience de soi) tandis que les maîtres spirituels vous diront que vous avez peut-être perçu un infime écho de l'illumination. Ne l'avez-vous pas reconnu dans le simple plaisir de la *passeggiata* italienne, quand vous avez rejoint tout le village sur la place centrale pour la promenade du soir (p. 69), ou lors de cette séance de tai-chi pratiquée en groupe au point du jour le long du fleuve à Shanghai (p. 57) ?

Lonely Planet aurait-il l'intention de devenir le nouveau gourou pour qui cherche le bonheur dans le monde ? Oh, que non ! Nous avons encore à travailler sur nous-même. Nous savons qu'il y a quelque 7 milliards de façons de définir le bonheur, en voilà simplement 55 que nous aimons. Elles vont du plaisir physique de danser lors du carnaval au Brésil (p. 91) au fait de rendre service à ses voisins à l'occasion d'une *minga*, une journée de travail collectif au Chili (p. 113), ou de prendre conscience que la vie est éphémère en construisant un mandala de sable au Tibet (p. 23).

Découvrir d'autres cultures peut nous rappeler à quel point nous aimons prendre le temps de respirer profondément ou de rire en famille ou avec des amis. Nombre d'entre nous ont entendu parler de la cérémonie du thé japonaise, mais qui connaît la cérémonie du café éthiopienne (p. 59) ? Comme sa cousine japonaise, la coutume éthiopienne nous invite à stopper la course du temps pour savourer les grains de café et profiter du plaisir d'être ensemble.

Rappelant le *zakat* des pays islamiques ou le *jimba* des pays bouddhiques, l'*inati* (p. 119) de l'archipel de Tokelau (Pacifique Sud), consiste en une répartition de la pêche du jour entre tous en fonction des besoins de chacun. Et toutes les cultures pourraient prendre des leçons du Bhoutan, qui mesure sa prospérité non pas en termes de profit, mais de bonheur national brut de la population (p. 15).

Lorsque vous serez de retour chez vous, votre vie aura changé, ne serait-ce qu'un petit peu. Après un voyage en Italie, vous ferez peut-être parfois une promenade d'un quart d'heure avant le dîner. Ou vous inviterez un ami à prendre le café et bavarderez des heures sans souci d'occuper autrement votre temps. Ou, de retour des Caraïbes, vous commencerez la journée en dansant nu devant votre chat sur un air de calypso. En tout cas, le voyage vous aura ouvert les yeux et ce que vous aurez appris, vous ne pourrez pas le perdre, seulement le transmettre.

# LA TÊTE

# À FORCE DE NE PAS CHOISIR ON SE PERD

LE PRINCIPE CIBLER CLAIREMENT SES OBJECTIFS

 La tradition Les *ema* shintos (plaques votives)
Le moment N'importe quand
Le lieu Le Japon

Alors, vous voulez être heureux ?

Le bonheur est un état éphémère, éminemment subjectif, que parfois on vit sans même s'en apercevoir. Que signifie le bonheur pour vous ? Des relations agréables, des réalisations personnelles, la richesse matérielle (tout le monde sait que l'argent ne fait pas le bonheur, mais il peut y contribuer) ? Si vous ne savez pas le définir, vous ne pourrez pas l'atteindre.

Dans les temples shintos, au Japon, on trouve des petites plaques en bois, appelées *ema*, sur lesquelles les gens inscrivent leurs vœux. Souvent ornées de chevaux (de vrais chevaux étaient autrefois offerts aux temples), elles coûtent quelques centaines de yens. L'un implorera sa réussite aux examens, un autre un voyage sans embûches, un autre encore une nouvelle voiture ou de l'aide pour se sortir d'un mauvais pas. Une fois le vœu inscrit sur l'*ema*, celui-ci est accroché parmi d'autres à une guirlande, pour que les *kami* (dieux) les lisent.

Comment ne pas se sentir tétanisé face à l'avenir, ce vaste inconnu ? Si vous vous sentez un peu perdu, prenez une feuille et notez-y vos désirs. Demandez-vous à quoi votre vie devrait ressembler. Que voulez-vous réaliser ? Quelles expériences souhaitez-vous vivre ? Quel genre de personne rêvez-vous d'être ? Ensuite, dressez une liste.

Ainsi formulées, vos envies les plus profondes prennent corps. Elles deviennent des objectifs précis, qui vous servent de repères sur la carte de l'avenir. À présent que vous savez où aller, vous pouvez vous mettre en route.

# UN AUTRE MONDE EST POSSIBLE

LE PRINCIPE PRIVILÉGIER LE BIEN-ÊTRE PSYCHOLOGIQUE PLUTÔT
QUE LA RÉUSSITE FINANCIÈRE

 Un indice alternatif Le bonheur national brut
Le moment N'importe quand
Le lieu Le Bhoutan

Bonus financiers, spéculation. Bolides rutilants, villas luxueuses, ordinateurs portables, tablettes tactiles… Une course folle à l'argent et aux biens matériels semble occuper toutes les énergies. Mais l'argent fait-il notre bonheur ? L'économie mondiale a connu une croissance formidable au cours des dernières décennies mais notre bien-être a-t-il progressé dans les mêmes proportions ?

Et si la réussite pouvait se mesurer autrement ? En 1972, le roi du Bhoutan, Jigme Singye Wangchuck, a inventé l'expression "bonheur national brut, estimant que le bien-être spirituel du peuple était plus important que le produit national brut. Dorénavant, l'évolution de cette nation résolument bouddhiste serait jugée d'après le niveau de satisfaction de ses habitants et non plus seulement à l'aune de ses revenus financiers.

À cette époque, le Bhoutan commençait à s'ouvrir aux étrangers. Le roi a mesuré l'importance de préserver son peuple face à l'intrusion du monde moderne et de s'assurer que le capitalisme ne sape pas les valeurs fondamentales du pays.

Et le Bhoutan se porte bien. Il a préservé ses traditions (son artisanat, ses fêtes, sa passion pour le tir à l'arc et les vêtements traditionnels) et reste une région assez paradisiaque (les paysages de montagne à la beauté époustouflante y sont aussi pour quelque chose).

Faute de pouvoir vous installer dans ce haut pays de l'Himalaya, rien ne vous empêche de vous focaliser vous aussi sur le BNB. Quittez votre travail à temps pour voir vos amis. Demandez-vous si vous travaillez pour vivre ou si vous vivez pour travailler. Et accordez moins d'importance à l'acquisition de biens matériels pour en consacrer davantage à vous faire du bien.

# LAISSER VOLER LES PETITS SOUCIS...

## LE PRINCIPE ÉVACUER RESSENTIMENT, CONTRARIÉTÉS ET TRISTESSE

La tradition Loy Krathong
Le moment La pleine lune du 12e mois du calendrier lunaire (novembre)
Le lieu Le Nord de la Thaïlande

Parfois, vous ne cessez de repenser à une remarque qui vous a été désagréable. Même si elle était dépourvue de mauvaise intention, vous vous demandez s'il n'y aurait pas eu lieu de la relever, et si quelqu'un ne vous tient pas maintenant en moindre estime. D'autres fois, vous ne pouvez vous empêcher de pester contre cette file d'attente qui vous a mis en retard alors que vous étiez pressé.

Ressasser ces pensées finit par vous tracasser et vous rendre anxieux : toutes ces petites contrariétés accumulées doivent trouver une échappatoire...

Lors de Loi Krathong, fête qui a lieu généralement en novembre, à travers toute la Thaïlande on lâche des petits bateaux décorés sur les rivières ou les étangs. Dans le nord du pays, ce sont des milliers de lanternes en papier, éclairées à la bougie, qui s'élèvent dans le ciel en emportant les soucis et anxiétés dont elles sont les symboles.

Cependant que s'enfuient les lampions se déroule une fête douce, moment de bonheur incontestable. Cette action toute simple, consistant à laisser s'envoler ces petits fardeaux, combinée peut-être avec la beauté de leur départ, a un effet très puissant sur l'humeur de chacun.

Comment reprendre cette idée chez soi ? Pourquoi ne pas commencer par quelque chose de très simple, comme d'écrire sur différents morceaux de papier ce qui vous irrite. Puis, prenant les papiers les uns après les autres, relisez-les attentivement, avant d'en faire des boulettes et de les lancer dans la corbeille.

Ou bien, allez dehors et faites brûler chacun de ces petits papiers symboles de contrariété et d'anxiété. Sinon, pourquoi ne pas utiliser les nuages ? Assignez à chacun un souci et regardez-le s'éloigner (à mettre en pratique un jour de grand vent !). Bref, à vous de trouver la manière de vous alléger de ces fardeaux.

# LES DIFFÉRENCES FONT LA RICHESSE DE LA VIE

LE PRINCIPE S'ACCEPTER TEL QU'ON EST ET ACCEPTER LES AUTRES TELS QU'ILS SONT

La tradition "Fête des véritables chercheurs de danger intrépides"
Le moment En novembre
Le lieu Juchitán, Mexique

Assumer sa différence n'est pas évident. Blonde parfaite ou boutonneux ingrat, nous avons tous connu, à un moment ou à un autre, le sentiment d'être seul et rejeté. Ce sentiment peut être particulièrement fort pour les gays, les lesbiennes et les transsexuels. Même si l'acceptation des différences sexuelles, religieuses ou raciales fait son chemin dans le monde, il reste encore beaucoup à faire.

En matière d'ouverture et de tolérance, les habitants de Juchitán sont nettement en avance. Les Indiens zapotèques de l'isthme de Tehuantepec où se trouve la ville croient en un "troisième sexe", une catégorie qui recouvre les gays et les transsexuels. Appelés *muxes*, ils sont considérés comme une bénédiction pour leurs familles et sont admirés pour leur beauté et pour leurs talents domestiques.

Bien avant le lancement de la Gay Pride de San Francisco, les habitants de Juchitán célébraient l'homosexualité au cours d'une fête appelée La Vela de las Auténticas Intrépidas Buscadoras del Peligro : la fête des véritables chercheurs de danger intrépides. À cette occasion, les *muxes* s'habillent de jupes zapotèques colorées et parent leurs cheveux de rubans pour danser, boire et s'amuser au regard de toute la ville.

Imaginez un monde dans lequel toutes les minorités, si particulières soient-elles, seraient aimées et honorées par le reste de la population ! Quelles que soient vos différences, aimez-vous comme vous êtes. Et si vous ne réussissez pas à vous faire accepter chez vous, n'oubliez pas que dans le vaste monde, il y aura toujours quelqu'un pour vous considérer comme "absolutely fabulous".

START

# COMMENT GRAVIR LES MONTAGNES

## LE PRINCIPE SE FIXER UN BUT ET SE DONNER LES MOYENS DE L'ATTEINDRE

La tradition Les chemins de Saint-Jacques-de-Compostelle
Le moment N'importe quand
Le lieu La France et l'Espagne principalement

Parmi ce que vous avez entrepris, quand avez-vous éprouvé un véritable sentiment d'accomplissement pour la dernière fois ? Réfléchissez bien…

Aucune idée ? Nos vies tendent à devenir une mosaïque de minces triomphes et de petites déceptions. Nous remettons les choses à plus tard, elles nous déçoivent ou, dans l'agitation, nous les perdons de vue. Le mode de vie que nous propose la société moderne, à base de stress et de satisfaction personnelle, nous pousse à privilégier la facilité.

Répandue dans de nombreuses cultures, la tradition des pèlerinages était très forte dans l'Europe du Moyen Âge. Depuis lors, elle a peu à peu disparu à l'exception notoire du pèlerinage de Saint-Jacques-de-Compostelle (Camino de Santiago de Compostela). Ses chemins convergent vers la petite ville du nord-ouest de l'Espagne dont la cathédrale abrite les reliques de saint Jacques, l'un des apôtres du Christ.

Depuis les années 1970, des foules de pèlerins viennent des quatre coins du monde pour suivre les chemins de Saint-Jacques-de-Compostelle. Certains le font pour des raisons spirituelles, d'autres pour le plaisir de la randonnée ou le désir de découvrir des trésors culturels et des montagnes grandioses. Tous, pratiquement, éprouvent en cours de route la sensation de se dépasser et en retirent un sentiment d'épanouissement rare.

Peut-être n'avez-vous pas le temps de parcourir en intégralité le chemin français (Camino Francés), le plus fréquenté, qui traverse les Pyrénées à Roncevaux puis se dirige vers l'ouest sur 750 km. Mais vous pouvez n'en suivre qu'un tronçon. Ou simplement retenir l'idée du défi : choisissez un sommet à l'horizon et quels que soient les efforts que cela vous demande, marchez jusqu'à lui. Une fois là-haut, vous réaliserez à quel point l'idée même de limite vous bouchez la vue.

# VANITÉ, TOUT EST VANITÉ

LE PRINCIPE ACCEPTER ET CÉLÉBRER LE CARACTÈRE
ÉPHÉMÈRE DE TOUTE CHOSE
La tradition Les mandalas de sable bouddhiques
Le moment N'importe quand
Le lieu Le Tibet

Les humains ont tendance à se placer au centre de l'univers. Les Occidentaux, souvent élevés dans une culture laïque et individualiste, sont particulièrement enclins à se considérer comme extrêmement importants et devant faire l'objet de toutes les préoccupations.

Dans les villes, la nuit venue, on ne voit même plus le ciel étoilé pour se rappeler quelle infime portion de temps nous représentons à l'échelle de l'univers. Quoi que nous fassions, quoi que nous laissions derrière nous, le temps passe : tous, un jour, nous ne serons que poussière.

Les bouddhistes tibétains illustrent l'inévitable fuite du temps en réalisant avec du sable des mandalas extraordinairement subtils et brillamment colorés. Au moyen d'entonnoirs métalliques, ils versent délicatement le sable en dessinant des motifs très élaborés, des animaux fantastiques, des démons et des symboles spirituels.

L'exécution d'un tel mandala peut demander des jours voire des semaines de travail intensif. Pourtant, quand elle est achevée, toute cette fabuleuse création est balayée et le sable recueilli dans une urne. La moitié est distribuée à l'assistance pour répandre ses effets bénéfiques dans la salle ; l'autre moitié est versée dans la rivière la plus proche pour propager ses bienfaits à travers le monde.

Célébrer le caractère éphémère de la vie est curieusement réconfortant. Passez un après-midi à tracer des dessins à la craie devant chez vous, puis regardez-les disparaître sous l'effet du temps ou de la pluie. Allongez-vous sur l'herbe avec un ami pour visualiser d'extravagantes créatures dans les nuages, en observant comment elles évoluent de dragons en canards. Faites un château de sable. Acceptez cette réalité inéluctable qui veut que rien ne dure... Ne vous sentez-vous pas délicieusement apaisé ?

# C'EST DANS LES ÉPREUVES QU'ON APPREND À SE CONNAÎTRE

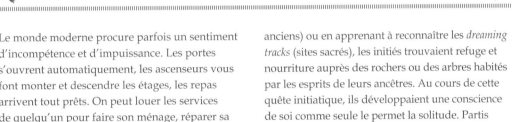

LE PRINCIPE APPRENDRE À SE DÉBROUILLER PAR SOI-MÊME
AFIN DE SE SENTIR PLUS FORT

La tradition Walkabout (rite de passage des Aborigènes d'Australie)
Le moment À l'adolescence
Le lieu L'Australie

Le monde moderne procure parfois un sentiment d'incompétence et d'impuissance. Les portes s'ouvrent automatiquement, les ascenseurs vous font monter et descendre les étages, les repas arrivent tout prêts. On peut louer les services de quelqu'un pour faire son ménage, réparer sa voiture ou promener son chien. Être tellement assisté s'avère pratique, certes, mais alimente une crainte : que ferais-je sans tous ces services ? Serais-je capable de me débrouiller seul ?

En Australie, les jeunes Aborigènes n'avaient pas le choix. À l'entrée de l'adolescence venait pour les garçons le temps du *walkabout* : on les envoyait seuls pendant six mois dans les étendues sauvages d'Australie. Fini le temps des jeux insouciants, il fallait alors lutter pour survivre.

Ce rite de passage affirmait le profond enracinement des Aborigènes dans leur territoire. En suivant les paroles des *songlines* (chants très anciens) ou en apprenant à reconnaître les *dreaming tracks* (sites sacrés), les initiés trouvaient refuge et nourriture auprès des rochers ou des arbres habités par les esprits de leurs ancêtres. Au cours de cette quête initiatique, ils développaient une conscience de soi comme seule le permet la solitude. Partis enfants, ils revenaient hommes.

Passer six mois dans le bush n'est ni évident ni indispensable, mais rien n'empêche de faire une coupure pour se retrouver face à soi. Partez en vacances seul : vous serez obligé de vous prendre en charge et vous découvrirez ce qui vous intéresse vraiment. Lancez-vous dans des domaines où vous vous sentez fragile. Si vous détestez parler en public, donnez des cours. Plongez le nez sous le capot de votre voiture ou apprenez à faire cuire un œuf à la coque. Développez votre confiance dans vos capacités. Vous prendrez ainsi de l'assurance en sachant que vous pouvez compter sur vous.

# TOUT EST PARDONNÉ

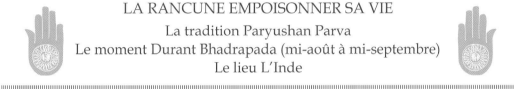
Le pardon n'est pas trop à la mode. On écoute plutôt les durs à cuire prêts à rendre œil pour œil, que ceux qui tendent l'autre joue. Par souci d'estime de soi on ne laisse rien passer aux autres. Le pardon est perçu comme une faiblesse ou, fort cyniquement, comme la contrepartie que l'on accorde à quelqu'un qui se soumet à nos caprices. Souvent nous pardonnons uniquement pour nous rendre la vie plus facile, ce qui n'est pas un véritable pardon.

Le vrai pardon est totalement différent.

Le pardon – l'un des plus sages enseignements du christianisme – est l'un des traits caractéristiques du jaïnisme, une religion née en Inde plus de 600 ans avant Jésus-Christ. Tous les ans, les jaïns se rassemblent pour célébrer Paryushan Parva, une fête qui dure 10 jours et qui célèbre les diverses vertus de leur doctrine.

Caractéristique de cette religion austère et exigeante, mais sincère et suprêmement bienveillante, cette période de prière et de méditation débouche sur une cérémonie de confession des péchés et de pardon. C'est, pour les jaïns, le seul moyen de se débarrasser de toute colère et rancune, et de purifier son âme.

Pour pardonner aux autres, reconnaissez-vos propres fautes et… pardonnez-vous.

Essayez d'écrire des lettres aux personnes qui comptent dans votre vie pour leur demander pardon de les avoir blessées ou de leur avoir fait défaut (vous n'êtes pas obligé d'envoyez ces lettres !). Et la prochaine fois qu'une personne vous fera du mal, surprenez-la en lui exprimant votre pardon du fond du cœur, spontanément, sans conditions. Vous serez vous-même étonné par le sentiment de fierté et de liberté que vous éprouverez.

# L'UNION FAIT LA FORCE

**LE PRINCIPE FAIRE CONFIANCE AUX AUTRES ET RECEVOIR LEUR CONFIANCE EN RETOUR**

La tradition Les castells (tours humaines)
Le moment De juin à novembre
Le lieu Catalogne, Espagne

La confiance se perd, semble-t-il, dans notre société. Nous sommes tellement bombardés de messages qu'il est difficile de savoir ce qu'il faut croire. La coexistence de gens aux origines de plus en plus éloignées peut aussi accroître la méfiance par suite d'incompréhensions culturelles. Or un monde du soupçon ne peut être un monde heureux.

Les *castellers* de Catalogne ne connaissent pas ce problème. La tradition de construire des *castells* (tours humaines) remonte à la fin du XVIIIᵉ siècle, quand les danseurs de Valls, près de Tarragone, terminaient leurs danses folkloriques en grimpant sur les épaules les uns des autres. Ce final donna peu à peu lieu à des concours, d'où naquit un nouveau sport.

Le *castell* démarre par une *pinya,* une base solide, faite de nombreux corps entrelacés (à laquelle tout le monde peut se joindre), sur laquelle va se dresser la tour. Les étages successifs sont ensuite formés par les *castellers*, les hommes qui grimpent les uns sur les autres dans un ordre spécifique pour que la structure soit de plus en plus haute, jusqu'à atteindre généralement 6 à 10 étages. L'*anxeta,* le pinacle de la tour, est toujours un enfant (léger et courageux).

Ce spectacle grandiose qui célèbre la culture catalane se déroule en costumes traditionnels et est accompagné par la *gralla,* une sorte de flûte. Il rend hommage au lien communautaire qui permet des réalisations exceptionnelles grâce à la confiance que chacun a en l'autre.

Si nous ne pouvons pas tous grimper sur les épaules de nos voisins, nous pouvons nous ouvrir plus largement aux autres. Rejoindre une équipe – de football, de discussion ou autre – pour apprendre à coopérer. Ou tout simplement ne pas considérer nos contemporains comme des adversaires, mais comme des partenaires qui tiennent entre leurs mains une part de notre bonheur.

# DU TEMPS AU TEMPS

## LE PRINCIPE ACCEPTER DE RECUEILLIR LE FRUIT DE SES ACTIONS LONGTEMPS APRÈS LES AVOIR ENGAGÉES

La tradition Tu BiShvat (Nouvel An des arbres)
Le moment Le 15e jour du mois juif de Shevat (janvier/février)
Le lieu Israël

La technologie peut donner le sentiment que les choses sont instantanées, qu'il suffit d'appuyer sur un bouton pour obtenir aussitôt ce qu'on veut. Pas étonnant que nous soyons frustrés quand nos vies vont trop lentement par rapport à nos désirs. Trop souvent, nous perdons patience et nous renonçons parfois même à nos objectifs quand les choses ne se déroulent pas comme prévu.

Les traditions qui célèbrent la nature dans ce qu'elle a de plus simple peuvent nous en apprendre beaucoup sur l'art de la patience. En Israël, la fête juive de Tu BiShvat est marquée chaque année par la plantation d'arbres. Cette fête, connue aussi sous le nom de "Nouvel An des arbres", tombe en janvier ou février selon le calendrier juif pour coïncider avec la période des premiers bourgeons.

Cette fête symbolise le renouveau et l'espoir dans l'avenir. Traditionnellement, les enfants entonnent des chansons sur le thème de l'amandier et mangent des dattes, des abricots et des fruits secs. Outre le fait d'encourager la préservation de l'environnement, Tu BiShvat nous rappelle que la nature prend son temps. Les graines sont plantées en hiver, puis au printemps viennent les premières pousses, mais il faut souvent des années avant de récolter les premiers fruits.

Les arbres jouent un rôle considérable dans notre bien-être physique et spirituel, mais les faire pousser exige de la discipline, de la patience et de la confiance. Cela nous rappelle que, dans la vie, un plaisir différé est plus gratifiant. Il permet de mieux jouir des fruits de son effort.

Regardez bien : n'est-ce pas une fleur qui va éclore sur ce rosier que vous avez planté il y a tant d'années ? Vous aussi, ne l'oubliez pas, il vous faut de l'eau, de l'espace et du temps pour grandir.

# MERCI LA VIE !

## LE PRINCIPE ÊTRE RECONNAISSANT DE CE QUE L'ON REÇOIT

La tradition Thanksgiving (journée d'action de grâce)
Le moment Le 4e jeudi de novembre (USA),
le 2e lundi d'octobre (Canada)
Le lieu Les États-Unis et le Canada

Avez-vous le sentiment d'épuiser votre énergie à essayer d'en faire autant que Mr et Mme Untel ? Dans notre monde matérialiste, le besoin de rivaliser avec autrui et de posséder toujours davantage crée une tension dévorante.

Au lieu de vous plaindre de ce qui vous manque, réjouissez-vous de ce que vous avez déjà. D'après des études psychologiques, la gratitude joue un rôle clé dans le bonheur. Les personnes qui ne mégotent pas leur reconnaissance se sentent généralement mieux dans leur vie et sont plus optimistes sur l'avenir. Même leur sommeil s'en trouve allégé !

Aux États-Unis et au Canada, un jour de l'année est spécialement dédié à l'action de grâce : le jour de Thanksgiving. La tradition remonte à 1620, quand les Pères pèlerins arrivés à bord du *Mayflower* remercièrent Dieu d'avoir effectué une bonne traversée, d'avoir réussi à s'installer et d'avoir eu une bonne récolte. En réalité, les colons de Plymouth n'avaient rien connu de tel : beaucoup étaient morts au cours de la traversée de 2 mois depuis l'Angleterre ; débarqués en hiver, ils n'avaient pas de quoi se nourrir et ne durent leur survie qu'aux Indiens qui vivaient là, les Wampanoag. Ceux-ci leur fournirent de la nourriture et des graines qui leur permirent de manger et de cultiver les terres.

Aujourd'hui Thanksgiving est la plus importante fête de l'année. On s'y retrouve en famille pour festoyer, mais aussi pour rendre grâce de tous les bienfaits que la vie nous accorde.

Ne dites pas merci une seule fois par an ! Pratiquez la gratitude avec application. Par exemple, pourquoi ne pas tenir un journal dans lequel vous noterez chaque jour une action dont vous êtes reconnaissant à autrui. Et puis, tout simplement, lorsque vous avez l'occasion de remercier quelqu'un, ne vous en privez pas !

# DANSE AVEC LA MORT

LE PRINCIPE ACCEPTER SA PROPRE MORTALITÉ

 La tradition Día de Muertos (jour des Morts)
Le moment Les 1er et 2 novembre
Le lieu Le Mexique

La mort a deux faces opposées : nous savons tous que nous allons mourir et nous ne savons rien de la mort. Pour la plupart d'entre nous, penser à la mort est perturbant. Il nous est non seulement difficile d'affronter notre propre fin, mais aussi d'envisager celle de nos proches. Chez certains, la peur de la mort est si forte qu'elle entraîne anxiété et dépression, et leur retire toute joie de vivre.

Au fil des millénaires, les hommes ont essayé de répondre à leur angoisse face à la mort en développant des systèmes de croyance et des rituels. L'une des plus illustres de ces traditions est la fête du jour des Morts au Mexique.

Cette fête plonge ses racines dans les croyances précolombiennes selon lesquelles les morts vivraient dans un monde parallèle et pourraient revenir dans leurs maisons terrestres. Lors du Día de Muertos, ces visiteurs de l'autre monde sont accueillis avec des offrandes ( nourriture, fleurs, cierges) et partagent un festin avec leur famille et leurs amis. Suit généralement une visite au cimetière, où les tombes familiales sont nettoyées et décorées.

Loin d'être morbide, c'est une fête gaie, marquée par des défilés de squelettes en papier mâché grandeur nature arborant un grand sourire et habillés en tenue de fête, accompagnés par des mariachis et des danseurs. Attractions foraines et marchands de gaufres abondent. Les boutiques regorgent de squelettes, crânes et cercueils miniatures en chocolat ou en pâte d'amandes. Les festivités aident les petits Mexicains à grandir sans craindre la mort.

Que vous croyiez ou non à la vie après la mort, inspirez-vous de cette coutume mexicaine : célébrez vos chers disparus, souvenez-vous que vous aussi ferez l'objet de telles cérémonies, et prenez le temps d'apprécier les jours qui vous restent à vivre. Acceptez que la mort fasse partie de la fresque de la vie et ne tremblez plus lorsque votre regard tombe dessus !

# À TUE-TÊTE

## LE PRINCIPE SE LIBÉRER DE SES INHIBITIONS ET DE SES PROPRES INTERDITS

La tradition Le karaoké
Le moment N'importe quand
Le lieu Le Japon et la Corée

Parfois, mieux vaut faire quelque chose mal que ne rien faire du tout.

Pour la plupart, nous ne sommes pas des chanteurs au talent inné ni des athlètes hors norme. Est-ce que pour autant nous ne pouvons pas prendre plaisir à pousser la chansonnette ou à taper dans un ballon ?

S'il est un don naturel que nous avons tendance à partager, c'est l'art de nous trouver des raisons pour ne pas faire les choses. Ces interdits que nous nous imposons peuvent nous faire manquer une foule d'opportunités, et à tout le moins du bon temps.

Le karaoké est une excellente école pour surmonter ses inhibitions. Pratiquez-le à la japonaise, avec des amis dans un salon privé (plutôt que seul devant une salle pleine d'inconnus) où tout le groupe se laisse aller.

Il peut sembler curieux que la culture japonaise, tellement soucieuse de bienséance, ait inventé le karaoké, où l'on s'exhibe dans une situation gênante. Mais l'intérêt de cette expérience vécue en groupe, c'est qu'elle développe une forte camaraderie. Quand chacun se donne cœur et âme, plus personne ne songe à se moquer. Mieux encore, vous découvrirez que plus vous chanterez mal et fort, plus vos amis vous aimeront – ils pourront ainsi se prêter au jeu sans crainte du ridicule.

Le succès persistant des karaokés dans tout le Japon et la Corée témoigne du besoin de jeter bas les masques dans un petit cercle d'amis. Même s'il n'y a pas de salon privé de karaoké près de chez vous, choisissez avec vos proches un tube qui vous plaît et oubliez vos interdits le temps d'une chanson.

# IL N'EST JAMAIS TROP TARD POUR APPRENDRE

---

LE PRINCIPE STIMULER SON CERVEAU TOUT AU LONG DE SA VIE

 La tradition Jour de Sarasvati (jour de la Connaissance)
Le moment Le dernier jour du calendrier balinais
*pawukon* (tous les 210 jours)
Le lieu Bali, Indonésie

---

Pouvez-vous imaginer passer le restant de votre vie sans rien apprendre de plus que ce que vous savez déjà ?

La science nous montre que le cerveau est un organe souple et dynamique : il est fait pour être stimulé ! Faute d'apprentissage, son développement s'arrête et l'ennui s'installe. Par contre, si on continue à apprendre et à entraîner son cerveau, on évite l'affaiblissement intellectuel et la dépression en fin de vie.

Les hindous balinais considèrent la capacité d'enrichir ses connaissances comme le cadeau le plus précieux pour l'humanité. Aussi, ils rendent hommage à Sarasvati, la déesse de la Connaissance et de l'Apprentissage, au cours d'une fête haute en couleur qui a lieu tous les sept mois.

Enfants et enseignants revêtent leur tenue de fête. Des prières pour grandir en sagesse ont lieu dans les écoles et les temples familiaux. Des offrandes de fleurs et d'encens accompagnent la bénédiction des livres dans les écoles, les maisons et les bureaux.

Ce jour consacré à Sarasvati nous rappelle qu'il n'y a pas de limite au développement de nos savoirs. Et le plus extraordinaire, c'est qu'il n'y a rien de plus simple : lisez un livre, inscrivez-vous à un cours ou faites une excursion vers un endroit nouveau.

Continuez à apprendre tout au long de votre vie pour vous épanouir. Ce sera l'occasion de découvrir de nouveaux centres d'intérêt, de développer de nouvelles compétences ou de révéler des talents innés dont vous ignoriez l'existence.

Et vous, à quand remontent vos dernières découvertes ?

# FAUT-IL VRAIMENT TOUT DIRE ?

LE PRINCIPE PESER SES MOTS POUR ÉVITER DE BLESSER SES INTERLOCUTEURS

La tradition Chi Kou (jour de la Discorde)
Le moment Le 3e jour de l'année du calendrier chinois (janvier/février)
Le lieu La Chine

"Je dis ce que je pense, c'est tout… Mieux vaut être honnête, non ?" Alors pourquoi, si l'honnêteté prime, ces mots prononcés à la hâte hantent-ils notre conscience ? "N'aurais-je pas dû mieux faire la part entre franchise et gentillesse ?" nous demandons-nous souvent quand nous mesurons l'effet de nos paroles. La réponse est presque toujours "oui".

À parler trop et trop vite, insultes ou mots blessants nous échappent. Les Chinois, qui comparent les mots à l'eau (impossible à ramasser quand elle est renversée), consacrent une fête au temps de pause critique qui sépare l'élan spontané et le moment où l'on s'exprime. Le jour de la Discorde, c'est son nom, troisième jour du Nouvel An lunaire, est très calme. Durant 24 heures, les gens mettent entre parenthèses leur vie sociale pour éviter toute altercation.

Le Nouvel An lunaire, ou fête du Printemps, s'accompagne de longues préparations et de force festivités, symboles de prospérité. Mais le jour de Chi Kou ("bouche rouge"), tout s'interrompt. Les Chinois se calfeutrent chez eux pour retrouver l'harmonie intérieure ou se rendent au temple pour prier et rentrent tôt le soir.

La prochaine fois que vous vous sentirez emporté par l'émotion, respirez profondément en comptant jusqu'à trois, ou levez les yeux au ciel pour prendre conscience de l'immensité de l'univers. Puis, si vous êtes encore décidé à parler, exprimez-vous lentement en pesant chaque mot. En prenant le temps de la réflexion, on réussit généralement à dire les choses de façon plus subtile et plus gentille.

N'oubliez pas aussi de dormir suffisamment. Apparemment, notre capacité de jugement est meilleure quand notre cortex préfrontal est reposé !

# RETOUR VERS LE PRÉSENT

LE PRINCIPE S'ABSTRAIRE DU PASSÉ ET DU FUTUR
POUR MIEUX VIVRE LE PRÉSENT

La tradition *Zazen* (méditation assise)
Le moment N'importe quand
Le lieu Le Japon

À force de vivre en esprit dans le passé ou le futur, on en oublierait que le corps, lui, est enfermé dans le présent. Il y a trop souvent déconnexion entre notre être physique qui vit, respire, ressent et notre pensée toujours vagabonde et inquiète. Bien sûr, la rêverie éveillée cause un vrai plaisir, mais nous avons tort de sacrifier le présent pour des lieux et des moments sur lesquels nous n'avons pas de prise.

Le *zazen*, ou "méditation assise", a pour objectif d'unifier le corps et l'esprit. Cette pratique joue un rôle clé dans le bouddhisme zen, une école qui met l'accent sur la pratique plus que sur la doctrine.

Au départ, l'essentiel est de s'asseoir dans la posture voulue (jambes confortablement croisées et dos bien droit) et de respirer profondément en portant toute son attention sur cette action. Se concentrer totalement sur la respiration ramène naturellement l'esprit vers le présent.

Chasser de son esprit tous les soucis qui le hantent est plus difficile qu'on ne le pense. Une pratique régulière du *zazen* permet d'apprécier pleinement le temps qui passe et, même, refaçonne notre vision du monde. En quinze minutes seulement, le temps semble se ralentir considérablement. Et s'il vaut mieux méditer dans un endroit calme, assis par terre sur un coussin, on peut, à notre sens, s'adonner à cette méditation à peu près partout pourvu que l'on joue pleinement le jeu.

# COCU MAIS CONTENT

LE PRINCIPE TIRER AVEC HUMOUR LES LEÇONS D'UNE EXPÉRIENCE POUR MIEUX REPARTIR DANS LA VIE

La tradition Festa del Cornuto (fête du Cocu)
Le moment Novembre
Le lieu Rocca Canterano, Italie

Tout le monde, ou presque, se retrouve un jour ou l'autre bouleversé par une rupture amoureuse. L'expérience est souvent déchirante, mais si vous vous séparez parce que votre partenaire vous trompe, ce n'en est que plus traumatisant.

Le sentiment révoltant de trahison, le choc, la colère et la tristesse, tout concourt à en faire une épreuve profondément douloureuse. Durant ces moments, les plus difficiles peut-être de votre vie, il se peut que vous vous demandiez : "Comment vais-je m'en sortir ?"

À Rocca Canterano, près de Rome, une fête a lieu en l'honneur de ceux qui ont eu la malchance d'être trompés par leur partenaire. Des acteurs défilent dans la rue principale en racontant des histoires d'amours tragiques, de trahisons et de ruptures. Ils traitent des faiblesses du cœur humain sur un mode humoristique, sans sentimentalisme et sans guère laisser de place à l'apitoiement sur soi-même.

Ceux qui défilent portent des cornes de cocu sur la tête, clin d'œil malicieux au fait que la vie amoureuse prend parfois des allures de farce. Cette ambiance badine et joyeuse contribue à consoler les amoureux trompés, et les festivaliers se mêlent les uns aux autres pour se demander s'ils aimeraient *fare le corna* ("faire les cornes" – expression qui se passe d'explication).

Comme tout un chacun, vous serez sans doute confronté à la nature douce-amère de l'amour. Peut-être ne choisirez-vous pas alors de déambuler la tête parée de cornes dans un village italien. Toutefois envisager la vie avec philosophie, prendre du bon côté ses mauvaises surprises, vous aidera à renoncer à une relation qui a mal tourné.

Pour panser votre cœur, commencez donc par rire de vos mésaventures en haussant les épaules… et ensuite, peut-être, en flirtant.

# LE SENS DE LA VIE

## LE PRINCIPE S'ISOLER ET SE METTRE À L'ÉCOUTE DE SOI POUR MIEUX CONNAÎTRE SES ENVIES PROFONDES

La tradition La "quête de la vision", un rite de passage amérindien
Le moment N'importe quand
Le lieu Le Canada et les États-Unis

La vie est trépidante ! On a parfois le sentiment d'être emporté par le courant et ballotté comme un fétu. On oublie les promesses que l'on s'était faites quand on était jeune. On se sent écrasé entre une foultitude d'attentes et un monceau d'obligations quotidiennes. Ces résolutions prises au Nouvel An n'ont duré que le temps d'un feu de paille. Comment laisser s'exprimer cette partie de nous-même animée de grands desseins ?

Dans la culture des Premières Nations d'Amérique du Nord, la quête de la vision est un rite de passage qui doit permettre de trouver le but de sa vie. Les traditions varient, mais comportent presque toujours un temps de préparation physique suivi d'une période de solitude et de jeûne, souvent de plusieurs jours.

C'est un moment de méditation profonde durant lequel celui qui est en quête de la vision invoque les esprits qui sauront lui révéler la direction que doit prendre sa vie.

Il est difficile de se ménager du temps pour soi. En trouver suffisamment pour réussir à entendre son moi profond suppose de s'isoler du monde durant deux ou trois jours. Allez camper, ou si vous n'aimez pas trop la nature, réfugiez-vous dans une chambre d'hôte isolée. À tout le moins, grimpez à pied jusqu'au sommet d'une colline.

Ouvrez grand vos oreilles. Ne vous laissez pas distraire par d'autres voix. Mettez au jour vos désirs enfouis. Vous allez vous surprendre ! Mais n'hésitez pas à partir sur le nouveau chemin qui se dessine sous vos yeux.

寒光照畫此亦清奇
陳老蓮可謂起及未
倚中此已弘友鷗寫
宜花卉抱之筆墨向疏逸道在

# MÉNAGE DE PRINTEMPS

**LE PRINCIPE METTRE DE L'ORDRE DANS SA MAISON ET SON ESPRIT POUR REPRENDRE SA VIE EN MAIN**

La tradition Préparatifs pour Chūn Jié (fête du Printemps/Nouvel An chinois)
Le moment Avant le Nouvel An du calendrier lunaire (janvier/février)
Le lieu La Chine

Parfois, le désordre qui nous entoure est tel que l'on finit par se sentir mal à l'aise. Tout s'entasse en chaos, à la maison, au travail, comme dans notre tête. Avec le désordre vient le sentiment que l'on n'a plus prise sur rien et, bien vite, notre vie nous apparaît comme une débâcle.

En Chine et dans les communautés chinoises à travers le monde, la période qui précède le Nouvel An lunaire déborde d'activité. Pour préparer la fête du Printemps, un temps de réunion et de renouveau, d'optimisme face à l'avenir, la première étape consiste à ranger sa demeure, au sens propre.

Les familles nettoient de fond en comble leur habitation, pour emporter dans le mouvement du balai tout mauvais signe et placer l'année nouvelle sous de bons auspices. Fleurs, fruits et poèmes d'espoir inscrits sur des bandes de papier rouge parent la maison de mille couleurs. Les rues sont éclairées par des lanternes et ornées de décorations. Les habitants échangent des messages de paix et de prospérité.

Pour marquer ce nouveau départ, on se fait souvent couper les cheveux et on s'achète de nouveaux vêtements, on échange des cadeaux et on se réconcilie avec son entourage. Une fois que tout est à nouveau en ordre, les festivités du Nouvel An proprement dites peuvent commencer...

Inspirez-vous de cette tradition pour faire du ménage dans votre vie. Classez enfin ces papiers qui s'entassent ! Triez ces vieux vêtements qui débordent de votre penderie ! Mettez à jour votre carnet d'adresses ! Oubliez ce qui vous a déplu cette année ! Vous y verrez ainsi plus clair et pourrez définir de nouveaux objectifs. Peut-être cela vous portera-t-il même chance...

# L'HOMMAGE
# AU MAÎTRE OUBLIÉ

LE PRINCIPE REMERCIER CEUX QUI ONT JOUÉ
UN RÔLE IMPORTANT DANS SA VIE

La tradition Rendre visite à ses professeurs
Le moment Le troisième jour du Têt (Nouvel An lunaire, janvier/février)
Le lieu Le Vietnam

"Comment en suis-je arrivé là ?" se demande-t-on parfois. Même si l'on est satisfait de ce que l'on est devenu, cette question peut devenir envahissante. Pour s'en libérer, pourquoi ne pas se tourner vers une période pas trop difficile à se remémorer : l'école.

Quelles que soient les affres subies dans le cadre scolaire, on se souvient toujours d'au moins un professeur qui nous a manifesté un intérêt particulier, avec qui nous avons ressenti un lien spécial. Le genre de professeur qui, souvent, marque un tournant dans notre vie. Parce qu'il nous ouvre un horizon au-delà des manuels scolaires ou qu'il nous oriente vers une carrière. Ou parce qu'il nous fait nous sentir un peu mieux en tant qu'adolescent ou un peu plus intelligent.

Au Vietnam, le Nouvel An lunaire est la principale fête de l'année. Les festivités, qui durent trois jours, ressemblent un peu à Noël et au Nouvel An cumulés. Le premier et le deuxième jours sont consacrés à la famille et aux amis. Et le troisième jour ? On rend visite à ses professeurs ! Les enseignants sont tenus en haute estime dans la société vietnamienne. Ils sont toujours salués avec respect. Chaque Vietnamien reconnaît leur rôle dans sa vie (passée ou présente). Et tous leur témoignent leur gratitude avec des cadeaux.

Il n'est pas toujours facile de rendre visite à un professeur connu dans un lointain passé (l'opération ne représente pas non plus un risque insensé !). Notre suggestion : identifiez un professeur qui a compté dans votre vie. Écrivez ce qui vous revient à son sujet. Notez les choses importantes qu'il vous a dites. Que se passait-il dans votre vie à ce moment-là ? Que lui diriez-vous si vous en aviez la possibilité ? Vous aurez ainsi un nouvel éclairage sur la voie que vous suivez aujourd'hui, et les changements que vous pourriez y apporter.

# AIE CONFIANCE !

## LE PRINCIPE ACCEPTER DE NE PAS TOUT MAÎTRISER ET AVOIR LA FOI

La tradition La prière
Le moment Chaque jour
Le lieu Dans le monde entier

Avoir le sentiment de maîtriser sa vie, c'est un besoin que nous éprouvons tous. Et pourtant il y a tant de choses qui nous échappent – les aléas du climat ou de l'économie, la mort… La foi permet de se délester de ces soucis et d'accepter les choses telles qu'elles sont. Que ce qui doit être soit !

Qu'ils égrènent leur chapelet en Italie, se prosternent en direction de La Mecque en Arabie saoudite ou glissent des petits papiers dans le Mur occidental à Jérusalem, les croyants transmettent par la prière leurs soucis et leur confiance à un être dont ils pensent qu'il a le pouvoir qui leur manque : celui de changer les choses.

Rien ne garantit pourtant que leurs prières recevront la réponse escomptée. Le bienfait que procure la foi ne tient pas à la conviction qu'elle permet de changer les choses dans notre intérêt.

Le réconfort qu'on en tire découle de l'abandon qu'elle autorise.

Avoir la foi ne signifie pas forcément prier une force supérieure, toute-puissante, qui puisse intervenir en toute chose. C'est plutôt accepter que ce qui est fait en dehors de notre contrôle est bien fait. C'est notre croyance en l'homme et en la société qui nous permet de prendre l'avion en toute confiance. Subir une opération, placer notre argent dans une banque, ou escalader une montagne demande la même confiance.

Quand vous avez le sentiment que votre vie part à la dérive, demandez-vous ce qui est de votre ressort. Lâchez prise sur le reste pour vous consacrer aux aspects de votre vie que vous pouvez maîtriser. Essayez d'en dire quelques mots à Dieu, quoi que cela signifie pour vous – ange gardien, gourou ou nature – et sentez le poids qui pèse sur vos épaules s'alléger.

# LE CORPS

# UN ESPRIT SOUPLE
# DANS UN CORPS SOUPLE

## LE PRINCIPE STIMULER SON ESPRIT EN RÉVEILLANT SON CORPS

La tradition Le tai-chi
Le moment Tous les jours
Le lieu Shanghai, Chine

Vous n'auriez pas dû manger cette dernière part de pizza. Ou cette glace au chocolat. Et rester au lit jusqu'à midi avant de passer l'après-midi devant la télé ne fait qu'ajouter à votre sensation de ballonnement et de torpeur. Votre corps est loin d'être au meilleur de sa forme, vous manquez d'énergie et, pour compenser ce mal être, il vous faudrait… encore une autre part de pizza. C'est le cercle infernal !

Quand vous êtes mal dans votre corps, votre esprit en subit les conséquences. Non seulement il lui manque sa dose d'endorphines que produisent les exercices physiques, mais aussi cette stimulation liée à la sensation de bien-être physique.

Allez à Shanghai, sur le Bund – la promenade historique qui longe les rives du Huangpu sur plus de 1,5 km – pour voir comment régénérer son corps et son esprit. Tous les matins, à l'aube, jeunes et vieux affluent sur l'esplanade pour pratiquer le tai-chi : vêtus d'un pantalon ample, ils exécutent avec une lenteur et une précision extrêmes les étirements et les postures de cet art martial ancien face au soleil qui se lève sur la ville la plus moderne de Chine. Certains manient le sabre, ou un éventail, tandis que d'autres restent complètement immobiles. C'est une sorte de ballet au ralenti, au calme impressionnant : une méditation en mouvement.

Essayez-vous au tai-chi vous aussi. Ses mouvements subtils n'exigent pas d'être jeune, et on peut le pratiquer n'importe quand et n'importe où – si vous pouvez au lever du jour et en plein air, évidemment… À défaut d'un art martial, cherchez un autre sport qui vous plaise. Quel qu'il soit vous vous sentirez mieux : cœur plus fort, corps plus tonique et esprit stimulé.

# LES GRANDS PLAISIRS DE LA VIE

La tradition Cérémonie du café éthiopienne (le Buna)
Le moment À l'occasion d'une visite ou d'une fête
Le lieu L'Éthiopie

Combien de fois avalez-vous un café à la hâte en courant au bureau ou grignotez-vous un sandwich devant votre ordinateur durant la pause-déjeuner ? Sachant que la nature vous a pourvu de quelques 10 000 papilles gustatives et d'un odorat raffiné, vous avez la capacité de discerner d'innombrables goûts et arômes, mais quand avez-vous pris pour la dernière fois le temps de savourer vraiment ce que vous avaliez ? Manger "à la va-vite" est non seulement mauvais pour la digestion, mais constitue une occasion manquée de plaisirs multiples.

En Éthiopie, où sont produits certains des meilleurs cafés du monde, une telle frénésie est quasi inconcevable. La lenteur du rythme de la vie se manifeste notamment dans la cérémonie du café, un rituel vieux de 3 000 ans, qui stimule tous les sens et passe même pour avoir des vertus curatives.

La maîtresse de cérémonie, vêtue d'une robe blanche traditionnelle, dispose avec soin les ustensiles nécessaires sur des herbes sacrées fraîchement coupées tandis que l'assistance est enveloppée de vapeurs d'encens.

Les grains de café vert sont tout d'abord lavés, puis grillés jusqu'à ce qu'ils commencent à se craqueler, à éclater et à changer de couleur. Quand l'hôtesse moud ensuite les grains et prépare le café, il s'en exhale de merveilleux arômes. Une fois prêt, le café est délicatement versé avec une *jebena* (récipient à long bec). L'étiquette veut que chaque hôte en déguste trois tasses : la troisième tasse, la *baraka*, portant bonheur.

La vie est trop courte pour se contenter de jus de chaussette et de nourritures insipides. Mitonnez davantage de petits plats. Partagez-les en famille ou avec vos amis. Manger, boire… des plaisirs simples, mais qui touchent parfois au divin ! Donnez-vous le temps de ne pas passer à côté.

# ET LE SEPTIÈME JOUR...

## LE PRINCIPE TOUT ARRÊTER POUR RECHARGER SES BATTERIES

La tradition Le shabbat (chabbat)
Le moment Tous les samedis
Le lieu Israël

Il est facile de se retrouver "overbooké", avec un emploi du temps surchargé, sans un moment de libre. Le travail, la famille, les amis et les loisirs exigent déjà des compromis, comment espérer rester un moment à ne rien faire ?

Courir entre le travail et la maison, remplir ses obligations avec zèle, avoir chaque week-end occupé par les tâches ménagères, insérer un peu d'exercice physique : quand reste-t-il un moment pour s'arrêter et contempler le vol d'un oiseau dans le ciel ou sentir battre son cœur ?

La tradition juive du shabbat (ou chabbat) est la seule inscrite dans les Dix Commandements. Ce rituel sanctifie un jour de repos, à l'imitation de Dieu qui, après avoir créé le monde, s'est reposé le septième jour.

Les juifs orthodoxes respectent de façon très stricte les règles du shabbat, qui comporte de nombreux interdits – on ne peut allumer la lumière ni conduire une voiture. C'est une journée que l'on passe souvent en famille, au cours de laquelle on mange des repas spécifiques et durant laquelle on fait volontiers la sieste. Ce jour de repos s'achève quand apparaissent dans le ciel les trois premières étoiles du soir.

Malgré les interdictions, le shabbat est attendu avec impatience et donne lieu à des réunions joyeuses. Dans les maisons décorées pour l'occasion, on sert des mets de fête à des hôtes qui ont pris grand soin de leur tenue.

Que se passerait-il si vous décidiez de vous réserver régulièrement un jour de repos absolu ? Pas forcément toutes les semaines, disons tous les 15 jours ou une fois par mois. Cela fait tellement de bien de consacrer une journée à ne rien faire. Voilà qui pourrait vite devenir votre routine favorite !

# MISE À NU

## LE PRINCIPE APPRENDRE À ÊTRE À L'AISE AVEC SON CORPS

La tradition Les saunas
Le moment N'importe quand
Le lieu La Finlande

Avoir honte de son corps ? En voilà une idée !

Rares sont ceux qui n'éprouvent pas au moins une petite gêne à se voir nus, du genre "Ah ! si j'étais un peu plus…/un peu moins…" Pourtant, c'est à travers notre corps que nous abordons le monde. Instrument de connaissance et de relation, il sert aussi à découvrir le plaisir. Notre corps, c'est… nous. N'est-il pas temps de lui marquer un peu de respect ?

Les pays nordiques sont connus pour mettre en valeur la liberté physique. Se sentir à l'aise dans sa nudité – même pour ceux dont le corps n'a rien de celui d'un mannequin – fait partie de leur culture. La Finlande en particulier est réputée pour ses saunas, où l'on se rend en groupe avant de se rouler dans la neige ou de plonger dans un lac glacé, puis de retourner au sauna… tout cela nu comme un ver. Jeunes ou vieux, minces ou gros, tous ceux qui veulent profiter des vertus régénératrices et curatives de la transpiration s'y retrouvent sans fausse pudeur.

Si l'idée de cet étalage de corps heurte votre sensibilité, essayez d'autres voies pour faire la paix avec votre corps. Vous pourriez commencer par arrêter de juger l'apparence d'autrui. Puis voir la beauté qui se glisse dans les rides d'un visage, les replis d'un corps bien rond ou les traits d'un visage singulier.

Maintenant, allez plus loin. Dressez la liste de tous les moments importants que vous avez vécus avec votre corps – votre premier baiser ! l'apprentissage du piano ! la dégustation d'une crème brûlée ! Debout face à un miroir, admirez-vous tel que vous êtes. Vous voilà bien parti pour un premier bain nu en public.

# AU FIL DES SAISONS

## LE PRINCIPE ACCORDER SON RYTHME AVEC CELUI DE LA NATURE

La tradition Le solstice d'été à Glastonbury Tor
Le moment Le 21 juin
Le lieu Glastonbury, Angleterre

De temps à autre, il est clair que nous perdons le fil de la musique.

Bien sûr, nous croyons aux mythes de la vie moderne selon lesquels chacun d'entre nous est une île indépendante, maître de son propre destin. Mais parfois l'irrésistible puissance de la nature reprend le dessus. C'est notamment le cas en hiver, quand notre humeur s'assombrit ou qu'une journée de soleil nous ragaillardit soudain. Ou lorsqu'on est pris de l'irrésistible besoin de tout astiquer au printemps, ou que d'autres envies nous assaillent en été.

Nous ne saurons probablement jamais quelle est la période idéale pour planter un citronnier ou quel est le terrain le plus propice à la culture des pommes de terre. Mais si nous ralentissons notre course et respirons à pleins poumons, nous pouvons tous sentir le rythme profond de la nature, si ignorants que nous soyons des secrets de celle-ci.

Marquer le passage des saisons est un bon moyen de reprendre conscience de la nature qui nous entoure. Durant des millénaires, des rites païens ont célébré les solstices d'été et d'hiver, les jours le plus long et le plus court de l'année.

Pourquoi ne pas rejoindre les druides du XXIe siècle qui, en Angleterre, campent sur des sites antiques tels que le Glastonbury Tor en guettant le lever du soleil lors du solstice d'été ? Nimbée de mystère, cette colline passe pour avoir abrité le Saint Graal et une ancienne forteresse du roi Arthur. Quelle que soit son histoire, c'est un lieu magique. Aussi, posez votre sac de couchage à proximité et écoutez l'appel de la nature qui résonne tandis que pointent les premiers rayons du soleil.

Tendez l'oreille même lorsque vous faites votre shopping en ville ou quand vous veillez tard devant la télé. Cette énergie qui vous habite ne vibre-t-elle pas au rythme de la nature ?

# RESPIRE UN GRAND COUP

LE PRINCIPE PRATIQUER DES EXERCICES RESPIRATOIRES POUR
ATTEINDRE L'HARMONIE DU CORPS ET DE L'ESPRIT
La tradition Le yoga
Le moment N'importe quand
Le lieu L'Inde

Notre corps et notre esprit sont intrinsèquement liés, mais nous l'oublions souvent. Les émotions peuvent provoquer des réactions physiques (sueur et tension des muscles pour le stress, tremblements ou nausée pour la peur) et la maladie serait, selon certaines théories, liée à un mal-être émotionnel. Mais l'inverse est également vrai : nous pouvons utiliser notre corps pour améliorer notre humeur.

La pratique indienne du yoga est très ancienne. Elle est complexe et s'appuie sur une philosophie extrêmement élaborée. L'un de ses concepts fondamentaux consiste à renforcer le lien entre le corps et l'esprit grâce à la respiration, ou *prana*. Se concentrer sur sa respiration dans des postures spécifiques ou simplement en restant assis, permet à l'esprit de percevoir pleinement le corps.

La respiration profonde et régulière favorise la relaxation, qui se traduit par des changements physiques : la tension sanguine baisse, et nos ressources habituellement mobilisées pour être prêt à "combattre ou fuir" sont alors disponibles pour exercer leurs vertus réparatrices sur les système digestif, immunitaire et autres. Le corps se régénère cependant que l'esprit se calme, amenant un sentiment de paix et d'harmonie, appelé *santosa*, ou contentement.

Le yoga est très pratiqué dans le monde entier, mais il n'est pas nécessaire d'être yogi pour mettre en œuvre ce principe de respiration profonde. Toutes les sages-femmes peuvent attester que la respiration est un moyen de contrôle du corps et de l'esprit particulièrement puissant dans des phases de douleur ou de stress.

La prochaine fois que vous vous retrouverez sur le fauteuil du dentiste, en retard pour une réunion ou dans une situation qui vous inciterait à sauter sur vos anxiolytiques : arrêtez-vous, calmez-vous et… *respirez.*

67

# SALUT LA COMPAGNIE !

## LE PRINCIPE PARLER À SES VOISINS POUR ROMPRE SON ISOLEMENT

La tradition La *passeggiata*
Le moment Tous les jours
Le lieu L'Italie

Peut-être est-ce à cause des gadgets : à force d'être collé à son téléphone portable ou immergé dans sa playlist, on perd le contact avec son entourage. Ou alors est-ce la faute de notre vie professionnelle qui nous enferme dans un bureau ou derrière les vitres d'un train de banlieue. Quoi qu'il en soit, on se retrouve facilement reclus dans son univers, toujours à la même place : seul et isolé. Que sont devenus les bons vieux rapports humains ?

Pour vaincre le sentiment d'isolement, il n'y a pas mieux que la *passeggiata*, la promenade du soir, un vieux rituel pratiqué dans toute l'Italie. C'est un moyen très sûr de faire des rencontres en face en face qui créent une véritable sentiment de communauté.

En début de soirée, les Italiens de tous âges affluent dans les rues et sur les places des villages ou des villes pour déambuler tranquillement en bavardant et en partageant une boisson ou une glace. Pour certains, c'est le moyen de fréquenter de vieux amis, pour d'autres c'est l'occasion de flirter avec un nouvel amoureux. Pour la plupart, c'est avant tout une promenade tranquille où l'on observe les gens, on se pavane et on se congratule, on voit et on est vu. Quel que soit votre style, la *passeggiata* vous rappelle que vous faites partie d'une entité plus grande, d'une communauté.

Passer un après-midi à se promener avec des amis, à la manière italienne, introduira un peu de piment dans votre vie. Mais tout ce qui peut vous sortir de votre bulle est le bienvenu. Allez voir un voisin, adhérez à une association de bienfaisance, demandez-vous de quels groupes vous pourriez avoir envie de vous rapprocher – vous voyez bien que vous n'êtes pas seul !

# MÊME PAS PEUR

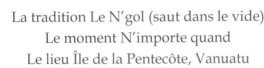

LE PRINCIPE FAIRE FACE À SES PEURS POUR LES SURMONTER

La tradition Le N'gol (saut dans le vide)
Le moment N'importe quand
Le lieu Île de la Pentecôte, Vanuatu

Vous vous sentez soudain des pieds en plomb en voyant que vous êtes le prochain à devoir sauter dans le vide avec votre parachute ? Ou vous êtes submergé par l'émotion quand votre patron vous annonce que vous devrez prendre la parole lors d'une conférence ? Bref, comme tout un chacun, vous avez peur.

Laissez-vous dévorer par la peur et vous êtes fichu. Heureusement, une solution existe. Il suffit de regarder en face ses frayeurs, puis de les affronter. Terrifiant, mais radical.

Sur l'île de Pentecôte, au Vanuatu, existe une tradition qui vous y force : le rituel du N'gol. Une sorte de saut à l'élastique, si ce n'est qu'on utilise des lianes au lieu d'élastique. Et que l'on touche le sol à l'arrivée. Bref, une bonne dose d'adrénaline !

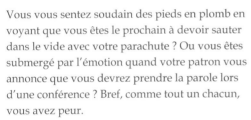

Après avoir dégagé les abords de l'arbre le plus haut possible, on construit jusqu'à son sommet une plate-forme d'où s'élancer dans le vide. Paradoxalement, seuls les mâles pratiquent cet acte de bravoure – les plus jeunes (dès 7 ans) étant autorisés à se jeter d'un peu plus bas dans l'arbre.

Un paradoxe puisque le N'gol n'est pas juste un rituel de passage et un rite de fertilité. Il honore aussi la légende d'une femme qui s'était cachée dans un arbre pour échapper à la violence de son mari. Le voyant grimper dans l'arbre pour la tuer, elle attacha des lianes à ses chevilles avant de sauter dans le vide pour échapper à ses griffes. N'ayant pas réalisé que les lianes avaient arrêté la chute de sa femme, l'homme sauta lui aussi… et se tua.

Où que vous soyez et quelles que soient vos craintes, grimpez sur votre échelle de N'gol, regardez en face ce qui vous terrifie le plus, et lancez-vous 30 mètres plus bas dans la boue. Que pourrait-il vous arriver de pire après ça ?

E. DEBAT-PONSAN
1883

# APPUYEZ SUR LA DÉTENTE

LE PRINCIPE S'AUTORISER UN DÉLICIEUX ABANDON

 La tradition Les bains de vapeur et les massages du hammam
Le moment N'importe quand
Le lieu La Turquie

Vous avez un problème pour vous détendre ?
Non. Alors, quand vous êtes-vous prélassé pour la dernière fois ? Quand avez-vous pris le temps de non pas simplement décompresser quelques minutes, mais de vraiment vous relâcher jusqu'au bout des os. Vous ne vous en souvenez pas ? Alors il est temps de goûter aux plaisirs du bain à l'ancienne.

Dans ce domaine, la Turquie n'a guère d'équivalent grâce à sa tradition du hammam – qui se pratique parfois dans un décor en marbre du XVII$^e$ siècle. Transpirer abondamment dans un bain de vapeur, s'asperger d'eau fraîche, contempler une coupole étoilée et éventuellement faire appel à un masseur pour qu'il frotte son corps avec un énorme gant, procure l'agréable sensation que tous ses soucis se dissolvent !

Il n'y a pas de hammam dans votre ville ? Peu importe, il existe bien d'autres manières d'obtenir cette même décontraction de tous les muscles, cette forme d'extase qu'on éprouve dans un bain turc.

S'offrir à l'occasion un massage (ou, mieux encore, masser son partenaire et se faire masser par lui), est un moyen facile de se relaxer. Veillez à l'emploi d'huiles parfumées !

Si vous recherchez absolument la sensation de chaleur et de vapeur, faites-vous couler un bain chaud, avec des essences parfumées, et restez-y jusqu'à vous sentir complètement ramolli.

Autre solution : profitez d'une journée de soleil pour vous allonger sur l'herbe la plus épaisse et la plus fleurie que vous puissiez trouver, et laissez la chaleur vous imprégner le plus profondément possible.

# JE COUPE LE SON

## LE PRINCIPE RESPECTER UN TEMPS DE SILENCE POUR CLARIFIER SES IDÉES

La tradition Nyepi (jour du Silence)
Le moment Nouvel An du calendrier lunaire balinais (mars/avril)
Le lieu Bali, Indonésie

Entre les gens qui vous parlent, les téléphones qui sonnent, les enfants qui pleurnichent, les publicités claironnantes, le bruit de fond continu de la circulation et, pour couronner le tout, le son de votre iPod collé sur les oreilles, la vie est une cacophonie.

La pollution sonore est, comme toute autre nuisance, mauvaise pour la santé. Sous l'effet d'une exposition à des bruits forts et constants, la tension augmente. Tout ce brouhaha nous empêche de penser, de faire le point et de dégager des priorités.

À Bali, le calendrier religieux consacre le premier jour de la nouvelle année au silence et à la contemplation, pour se purifier et prendre un nouveau départ.

Quand l'aube de Nyepi se lève, après une nuit de fête débridée sous la lune noire de l'équinoxe de printemps, toute activité cesse soudain. Personne ne travaille, ni n'utilise de véhicule. Aucun avion ne décolle ni n'atterrit à l'aéroport. Tous les appareils électriques sont éteints et personne, touristes compris, ne doit sortir dans la rue.

C'est, raconte-t-on, pour leurrer les mauvais esprits : qu'ils croient que l'île est abandonnée et qu'ils la négligent durant la nouvelle année. Mais cette journée a surtout une authentique valeur spirituelle : c'est un temps de méditation et de réflexion durant lequel l'esprit se libère des distractions terrestres pour ressortir plus pur et plus fort.

Difficile d'imposer une journée de silence à son environnement quand on n'habite pas Bali. Rien ne vous empêche toutefois de trouver un lieu où passer quelques heures dans la paix et la quiétude : sans activité, ni téléphone, ni télévision. Les démons qui rôdent autour de votre tête s'ennuiront tellement qu'ils finiront par vous laisser tranquille.

# SOUS LE SOLEIL EXACTEMENT

## LE PRINCIPE SE RÉGÉNÉRER PAR LA LUMIÈRE

La tradition Midsommar (fête du milieu de l'été)
Le moment En juin
Le lieu La Suède

Rester cloîtré a un effet négatif sur le moral. Que l'on s'enferme à cause d'un long hiver, pour cause de pluie ou simplement parce que l'on est submergé par le travail, le résultat est le même : on finit par se sentir morose et sans énergie.

Air frais et lumière sont indispensables à notre bien-être. Nous avons besoin des rayons du soleil pour produire la vitamine D nécessaire à notre santé. Certaines personnes sont même sensibles à une forme de troubles, appelée dépression saisonnière, dans laquelle le manque d'exposition au spectre lumineux joue un rôle important.

Pas étonnant, alors, que les Suédois organisent une grande fête en plein air pour célébrer le plus long jour de l'année. Midsommar (fête de la Mi-Été) a lieu le vendredi le plus proche du solstice d'été, la troisième semaine de juin. Ceux qui vivent dans le Grand Nord de la Suède peuvent même voir alors le soleil de minuit.

Liée à d'anciens rites de fertilité et à la fête de la Saint-Jean, Midsommar est aujourd'hui un temps de réjouissance dans la lumière et la beauté naturelle de l'été. Les familles se retrouvent à la campagne pour manger, boire, chanter et danser autour de grands mâts ornés de fleurs fraîches et de rameaux verdoyants. La tradition veut que les éléments de la nature aient un pouvoir spécial, voire magique, la veille de Midsommar.

N'attendez pas les vacances à venir ou le prochain été pour profiter des effets magiques d'un grand bol d'air frais et d'un bain de soleil. Une petite séance régulière en extérieur (avec crème solaire) vous procurera votre dose de vitamine D. Vous vous sentez déjà mieux ? Reprenez encore un rayon !

# BOUGE TON CORPS

LE PRINCIPE LAISSER SON CORPS S'EXPRIMER

La tradition Danse de *céilí*
Le moment N'importe quand
Le lieu L'Irlande

Pour nombre d'entre nous, notre quotidien consiste à être assis à un bureau, à se frayer péniblement une place dans des trains bondés ou à être bloqué dans des embouteillages. Et plus les choses sont censées aller vite, plus on se sent frustré quand elles n'avancent pas. Le mouvement et l'émotion sont si étroitement liés que toute cette inactivité provoque inévitablement une contrariété et ces maux de têtes, ces douleurs au dos ou ce stress qui sont les plaies de nos vies.

Depuis les temps les plus reculés, la danse a été utilisée à l'occasion de cérémonies et de fêtes. En tant que forme d'expression personnelle, elle dénoue les tensions, renforce la confiance et améliore le bien-être. En Irlande, un *céilí* (ou *céilídh*) est une danse de groupe dans sa forme la plus communautaire. Pas de bras raides comme dans les spectacles de *Riverdance*, mais une célébration animée et bruyante de la vie, où seule la participation compte.

Personne ne vous dévisagera avec exaspération si vous lui marchez sur les pieds, mais on vous remettra seulement dans la bonne direction, en vous faisant tournoyer toujours plus vite et en vous encourageant par un grand sourire. Dans le *céilí* tout ce qui compte c'est le *craic* (amusement), et il est difficile de se sentir stressé quand vous tourbillonnez si vite entre les murs d'une pièce que vous vous demandez ce qui se passerait si votre partenaire vous lâchait.

On peut danser le *céilí* presque partout dans le monde. Mais vous pouvez aussi tout simplement mettre de la musique et caracoler en sous-vêtements dans votre chambre, aller dans votre boîte préférée, suivre des cours de salsa, glisser, tanguer, vous trémousser ou danser le rock. C'est l'éclate garantie, sans dépenser un sou.

# UN PETIT JEÛNE POUR UN GRAND BIEN

LE PRINCIPE SE PRIVER DE CE QUE L'ON A
POUR EN APPRÉCIER LA VALEUR

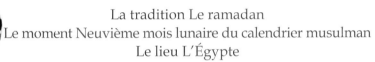

La tradition Le ramadan
Le moment Neuvième mois lunaire du calendrier musulman
Le lieu L'Égypte

Qu'il s'agisse de biens de consommation ou de produits alimentaires, il semble qu'on n'en ait jamais assez. Bombardés d'incitations à acheter les derniers gadgets ou appareils à la mode et à consommer les repas les plus riches possibles au meilleur prix, on sombre facilement dans l'hyperconsommation.

S'arrêter un peu pour faire le point ne serait-il pas bénéfique ? C'est ce que font chaque année, durant un mois, les musulmans d'Égypte et d'ailleurs : ils cessent de vouloir toujours plus pour se préparer à partir sans rien. De l'aube au crépuscule, durant le mois sacré du ramadan, pas une bouchée de nourriture ni une goutte d'eau ne passe les lèvres des musulmans égyptiens pour leur rappeler leur chance de posséder ce qu'ils ont.

C'est un moment de profonde réflexion sur les bienfaits de la vie où tous, riches et pauvres, jeunes et vieux, deviennent égaux. Les soirs de ramadan sont un moment particulièrement joyeux : on prépare de grands festins où familles et êtres chers se retrouvent pour partager leur repas. Après une longue journée de jeûne, manger et boire apparaît comme un délicieux présent de la vie.

Pas besoin d'être musulman pour jeûner. Et si cela vous paraît trop radical, pourquoi ne pas vous refuser durant un mois ce cappuccino ou cette douceur de plus, et dédier l'argent ainsi économisé à une cause de votre choix. Vous ne tarderez pas à sourire à l'idée de la multitude de bienfaits qui éclairent votre vie.

# SE PEINDRE UN SOURIRE

## LE PRINCIPE SE FAIRE UNE BEAUTÉ DANS LES MOMENTS LES PLUS DIFFICILES

La tradition S'habiller à la mode nomade
Le moment N'importe quand
Le lieu Est du Sénégal, Mali et Niger

Quand votre univers s'écroule ou qu'une journée part à vau-l'eau, vous vous sentez inexorablement entraîné vers le fond. Quelle qu'en soit la cause (difficultés au travail, grosse déception, chagrin d'amour ou changement radical), c'est une situation pénible dont vous avez du mal à sortir.

Quand tout vous paraît triste et terne, prenez du recul. La tristesse n'empêche pas la beauté, et si vous ne la voyez pas, vous pouvez toujours la créer.

Dans la région du Sahel, en Afrique, des groupes de nomades tels que les Soninkés et les Peuls Wodaabe passent leurs journées à traverser des paysages désolés aux maigres buissons et des déserts brûlés par le soleil, tous leurs biens entassés sur des ânes squelettiques. À la saison sèche, la chaleur est torride. À la saison humide, on suffoque sous la moiteur.

Pourtant, quelle beauté dégagent ces nomades ! Avec leurs anneaux d'or entrelacés cinq fois autour des oreilles. Leurs longues robes, rouges et gracieuses. Leurs cheveux tressés de rose et d'argent et leurs yeux soulignés d'un bleu plus lumineux qu'un ciel de midi. Sur fond de paysage désolé, les femmes Wodaabe, en particulier, nous donnent des leçons de beauté.

Quand vous vous sentez perdu, cela ne rimerait à rien de prendre un vol pour Tombouctou. Foncez plutôt sur votre boîte à bijoux et, même si vous n'avez pas l'intention de sortir de la maison, enfilez vos boucles d'oreilles étincelantes, allez fouiner dans votre penderie ou dénichez ce rouge à lèvres que vous aviez acheté pour une grande occasion : vous y êtes ! Ne vous fondez pas dans votre environnement. Cette situation difficile ? Ce n'est pas vous. Juste une mauvaise passe à traverser.

83

# PARLE AVEC EUX

## LE PRINCIPE ÉLARGIR SON CERCLE D'AMIS POUR PARTAGER SES CENTRES D'INTÉRÊT

La tradition La Stammtisch (table réservée aux habitués)
Le moment N'importe quand
Le lieu L'Allemagne

Vous pensez que le curling est la chose la plus importante au monde. Ou vous venez d'avoir un bébé, ce qui a entièrement changé votre vie. Mais votre entourage ne veut pas le savoir ! Soit que sa curiosité soit émoussée par la charge de travail quotidienne soit qu'il ne partage pas vos centres d'intérêt et trouve curieux votre enthousiasme. Toujours est-il que vous avez besoin de rencontrer des gens nouveaux avec qui parler.

En Allemagne, amis, collègues et parfaits inconnus qui partagent des intérêts communs se retrouvent régulièrement à des Stammtisches pour discuter de leurs sujets de prédilection, échanger leurs expériences, ouvrir des perspectives nouvelles. Historiquement, ces rencontres informelles étaient l'apanage des élites urbaines qui échangeaient les dernières nouvelles locales autour d'un verre, à une table réservée dans le restaurant ou le café du coin.

Depuis les années 1990, les Stammtisches sont devenues un mode de rencontre très prisé. Des groupes se sont formés à travers l'Allemagne sur tous les sujets imaginables (travail, politique, langues, paternité et maternité, etc.), donnant aux participants la possibilité d'exprimer ce qu'ils ont en tête, de rire ensemble, de nouer des liens et de créer des réseaux. Autant dire qu'on reste rarement longtemps un étranger au sein d'une Stammtisch.

Vous retrouver autour d'un sujet de discussion pour créer des liens vous tente ? Alors, pourquoi ne pas réserver une table quelque part en téléphonant à quelques amis concernés par le même thème ? Demandez à chacun d'inviter des connaissances, mettez quelques affiches en ville, faites passer le message sur le net et bientôt la conversation roulera dans la chaleureuse ambiance des verres partagés.

# FACE À L'IMPOSSIBLE NULLE RETENUE

## LE PRINCIPE SE LANCER UN DÉFI PHYSIQUE POUR DÉPASSER SES LIMITES

La tradition Le Self-Transcendence Marathon
Le moment Juin-août
Le lieu Le Queens, New York

Vous arrive-t-il souvent d'essayer de vous dépasser physiquement ?

Vous courez plus ou moins régulièrement, ou vous fréquentez une salle de gym ? Vous savez qu'une bonne séance de sport clarifie votre esprit : après, vous vous sentez plus léger et plus libre. L'activité physique vous aide sans doute à calmer les pensées qui s'agitent dans votre tête. Mais que diriez-vous d'entreprendre une course si difficile sur le plan physique et mental que vous ne savez même pas si vous arriverez au bout ? Ne serait-ce pas un moyen unique d'explorer l'étendue de vos ressources ?

Chaque année, un pâté de maisons du Queens devient le théâtre d'un remarquable défi : le Self-Transcendence 3 100 Mile Race, la plus longue course à pied certifiée au monde (quelque 4 988 km). Les coureurs doivent achever l'équivalent de deux marathons complets (84 km) chaque jour pour couvrir la distance en 52 jours maximum. Dans la chaleur de l'été, du lever du soleil jusqu'à minuit, les participants font jusqu'à 100 fois par jour une boucle d'environ 800 m.

Fondée par Shi Chinmoy, un maître spirituel indien qui prônait la réalisation d'exploits physiques et psychologiques pour le développement de l'esprit, cette course conduit les concurrents aux limites de l'endurance et de la survie. Elle suppose de leur part un effort à la fois physique et mental qui les oblige à un dépassement rare.

Il n'est pas indispensable cependant de courir des milliers de kilomètres. L'esprit de ce défi est d'approfondir la connaissance de soi en réalisant quelque chose qui est difficile *pour soi-même*. Quel que soit votre objectif, l'atteindre vous donnera la certitude que vous pouvez dépasser vos limites. Vous découvrirez peut-être même en vous une force insoupçonnée qui vous permettra d'affronter tout ce qui vous semblait impossible avant.

# L'ESPRIT

# IVRES DE LIBERTÉ

---

LE PRINCIPE METTRE DE CÔTÉ LE TRAVAIL ET SE LÂCHER

La tradition Le carnaval
Le moment Février ou mars
Le lieu Le Brésil

---

Travailler ! Encore travailler ! Toujours travailler ! Voilà comment on finit rabougri et rongé par le stress !

Dans un monde où tout se mesure à l'aune des affaires et presque rien à celui du bien-être, on a vite fait de se changer en tâcheron consciencieux, incapable de lever le pied. Et si vous interrompiez cette routine ? Et si, durant une semaine entière, il était d'usage dans votre société de tout laisser tomber pour simplement fêter le bonheur d'être vivant ?

Chaque année, durant les cinq jours précédant le mercredi des Cendres, le carnaval du Brésil invite à une telle rupture. Commerces, entreprises et banques étant fermés presque une semaine, il n'y a aucune excuse pour ne pas faire la fête. Tout l'ordre social bascule et tout le monde se rappelle que ce qui importe vraiment dans la vie ne peut se mesurer avec des tableurs.

Mêlant rythmes africains, costumes d'inspiration amérindienne et traditions de bacchanales dont les racines plongent dans l'ancienne Europe, le carnaval est un hommage vibrionnant à la diversité du Brésil et à son ouverture, qui encourage chacun à s'exprimer librement. C'est une exubérante débauche de musique, de danse et de sensualité qui implique tous les habitants.

Faute de pouvoir aller au Brésil, participez au carnaval qui se déroule près de chez vous. Ou, pourquoi pas, retrouvez des amis et imaginez un autre mode, plus personnel, de lâchage ? En tout cas, trouvez un moyen pour tout envoyer valser chaque année pendant quelques jours. Aucun doute, c'est de ces moments-là que vous vous souviendrez sur votre lit de mort et non pas de vos journées de travail !

# FAUT RIGOLER !

## LE PRINCIPE PRENDRE LA VIE MOINS AU SÉRIEUX

La tradition Hasya yoga (thérapie par le rire)
Le moment N'importe quand
Le lieu L'Inde

Serait-ce cette mine renfrognée de votre collègue de bureau ? Ou cette remarque moqueuse d'un de vos amis ? Ou encore cette nouvelle ride apparue sur votre front ? Ou le regret d'une occasion manquée ? Quelle qu'en soit l'origine, nous avons l'art de ressasser les pensées négatives, jusqu'à ce qu'elles nous envahissent l'esprit et nous fassent perdre confiance en nous. La vie, alors, ne nous fait pas rire du tout. Mais pourrait-il en être autrement ?

Basée sur les puissantes vertus thérapeutiques du rire, sur le plan physique et émotionnel, la pratique indienne du Hasya yoga commence par des "ho ho ha ha" psalmodiés pour culminer dans de grands et profonds éclats de rire venant du ventre. C'est une pratique toute simple qui doit son efficacité au fait que le rire n'a pas besoin d'être spontané pour que ses vertus opèrent.

Pas de sarcasmes ! Des rapports récents indiquent que les adultes rient en moyenne 15 fois par jour, contre 350 fois par jour pour les enfants. Triste statistique parce que le rire, c'est scientifiquement prouvé, améliore de façon significative notre bien-être global : il détend les muscles, déclenche la sécrétion d'hormones du "bonheur", dégage les voies respiratoires, aide au renforcement du système cardio-vasculaire, stimule les fonctions immunitaires et améliore considérablement l'humeur. Pas étonnant que le Hasya yoga se soit développé de par le monde.

Alors, fini de froncer les sourcils ! Écrivez sur un morceau de papier "le rire est le meilleur remède", collez-le sur votre réfrigérateur, et faites-vous fort de le saluer chaque jour d'un bon gros rire. Étirez les bras en l'air, fermez les yeux, respirez profondément à plusieurs reprises, puis faites "ho ho ha ha". Joie et santé sont à ce (petit) prix.

# ICI ET MAINTENANT

LE PRINCIPE RETROUVER SES REPÈRES DANS
SON ENVIRONNEMENT IMMÉDIAT
La tradition Fête de Garma
Le moment Début août
Le lieu Gulkula, nord-est de la terre d'Arnhem, Australie

Vous êtes-vous déjà senti déconnecté ? Dépassé et déplacé ?

Quand cela arrive, il est bon d'avoir quelques repères auxquels se raccrocher. Comme ces souvenirs de maisons ou d'endroits où l'on s'est senti chez soi. Ce sentiment d'appartenance à un lieu qui nous parle et que nous continuons de considérer comme nôtre. Quand nous avons besoin de réconfort, nous avons tendance à nous retourner vers le passé. Passé qui, d'une certaine manière, reste toujours présent et nous façonne.

Chaque année, en août, durant la relative fraîcheur de l'hiver tropical, les Yolngu, peuple aborigène du nord-est de la terre d'Arnhem, se rassemblent pour se ressourcer durant les quatre jours de la fête de Garma. Les festivités se déroulent dans une forêt d'eucalyptus où leur fut amené l'ancestral didjeridoo. C'est une terre sillonnée de sentiers et de sites sacrés évoqués par les *songlines*, ces chants traditionnels qui font le récit de la création de la terre aborigène par les Ancêtres au temps du Rêve.

Le lien du peuple Yolngu avec son territoire est tangible. Il se retrouve dans les nuances d'ocre sur la peau, la texture et la saveur de la poussière soulevée par les pieds des danseurs, le son omniprésent du didjeridoo, l'odeur des arbres. Il semble à la fois très ancien et tout à fait contemporain : une sorte de retour vers le futur, peut-être.

Nous pouvons tous adopter un territoire, où que nous nous trouvions. Il s'agit avant tout de prêter attention à notre environnement. Regardez cet arbre dans le jardin tout proche, cette forêt ou ce parc. Observez-le au fil du temps. Voyez comment il réagit (et vous aussi) au passage des saisons. Et, tandis que le monde continue sa course, vous vous sentirez lié à ce lieu et davantage chez vous.

# LA PURIFICATION PAR L'EAU

LE PRINCIPE BALAYER LE PASSÉ POUR REPARTIR À NEUF

La tradition Songkran (Nouvel An thaï)
Le moment 13-15 avril
Le lieu La Thaïlande

Le temps s'écoule comme l'eau.

À peine a-t-on pris des résolutions pour la nouvelle année que celle-ci s'achève déjà. Soucis quotidiens, obligations et stress du travail nous emportent dans leur courant et nous vident lentement mais sûrement de notre énergie. Si seulement nous pouvions tirer un trait et recommencer à zéro.

Songkran, le Nouvel An thaï, célèbre le passage du soleil du signe du bélier à celui du taureau au cours d'un grand nettoyage de printemps qui concerne le corps, le cerveau et l'esprit. À première vue, il prend la forme d'une gigantesque et folle bataille d'eau. Dans les villes, de Bangkok à Chiang Mai, les Thaïs s'envoient des bombes à eau, s'aspergent joyeusement à coups de seaux d'eau, visent avec des pistolets à eau les conducteurs de motocyclettes et de *tuk-tuk* et amènent même, à l'occasion, un éléphant pour arroser la foule.

Mais la véritable signification de Songkran est plus profonde : il marque un nouveau départ. Les Thaïs récurent leurs maisons et nettoient soigneusement les effigies de Bouddha pour éliminer toute la saleté de l'année passée et, espèrent-ils, écarter les méfaits et la malchance pour l'année à venir. C'est aussi un moment où l'on rend hommage aux parents âgés en aspergeant leurs mains d'eau parfumée, où l'on distribue des aumônes aux moines et où l'on construit des *chedis* (stupas) de sable dans la cour des temples.

À tout moment, vous pouvez mettre un peu de Songkran dans votre vie, sans attendre le Nouvel An, ni vous convertir au bouddhisme. Nettoyez votre maison, lavez votre corps, laissez les aspects déplaisants du passé derrière vous et regardez vers l'avant. En adoptant une pensée positive, nous pouvons atteindre la clarté et la paix de l'esprit, et laisser le meilleur de la vie couler en nous.

# NOS CHÈRES TÊTES CHENUES

LE PRINCIPE CONSACRER DU TEMPS À SES PARENTS
POUR NE PAS OUBLIER D'OÙ L'ON VIENT
La tradition Tsagaan Sar (Mois Blanc)
Le moment Le Nouvel An mongol (de fin janvier à début mars)
Le lieu La Mongolie

Quitter sa maison pour voyager et vivre à l'étranger permet d'ouvrir les yeux sur le monde. Mais si passionnant qu'il soit, cet envol peut aussi susciter une séparation douloureuse d'avec ceux qu'on aime et creuser un fossé entre sa nouvelle vie et l'ancienne.

Passer de longues périodes au loin nous fait négliger notre rôle au sein de notre famille et nos devoirs envers elle. À terme nous risquons de perdre le lien avec notre passé, d'oublier nos traditions et les enseignements de nos aînés.

Le Nouvel An mongol est une période où les familles se retrouvent et honorent les membres les plus âgés du clan. On salue parents et grands-parents selon un rituel appelé *zolgokh*, qui s'effectue bras tendus et comporte la transmission d'une écharpe bleue ou blanche, symbole de la clarté du ciel et de la pureté de l'âme. Fils, filles et petits-enfants expriment leur respect envers leurs aînés en rappelant leur sagesse, leur compassion et leur générosité.

Les célébrations et festivités ne durent qu'un jour, mais pendant des semaines on s'en va rendre hommage à ses aînés – amis de la famille, professeurs, collègues de travail notamment.

Il n'est pas vraiment utile d'avoir un calendrier pour pratiquer ces rites mongols. Prenez l'habitude d'entretenir des liens hebdomadaires ou mensuels avec les membres les plus vieux de votre famille. Rendez-leur visite ou téléphonez-leur si vous êtes trop loin.

Consacrer du temps à ces relations vous donnera le sentiment d'appartenir à une famille. À votre famille ! Et vous comprendrez quelle est votre place dans sa saga.

# PASSÉS RECOMPOSÉS

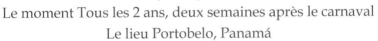

LE PRINCIPE NE PAS OCCULTER UN PASSÉ DOULOUREUX
La tradition Festival de Diablos y Congos (fête des Diables et des Congos)
Le moment Tous les 2 ans, deux semaines après le carnaval
Le lieu Portobelo, Panamá

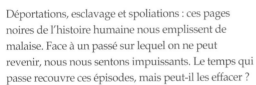

Déportations, esclavage et spoliations : ces pages noires de l'histoire humaine nous emplissent de malaise. Face à un passé sur lequel on ne peut revenir, nous nous sentons impuissants. Le temps qui passe recouvre ces épisodes, mais peut-il les effacer ?

En vérité, il n'est pas bon d'oublier les leçons les plus douloureuses de l'histoire. Quand on ignore l'histoire de ses ancêtres, on perd aussi son identité culturelle. Remplacer l'épreuve subie par une fiction, avec sa part de honte et d'omissions, est bien plus lourd à porter que la mémoire fidèle de cet événement. Mais il faut du courage pour faire face à son passé. Et encore plus pour jouer avec lui.

À Portobelo, au Panamá, la fête des Diablos y Congos célèbre les *cimarrones,* ces esclaves noirs qui avaient fui leurs maîtres, des colons espagnols, pour se réfugier dans la forêt pluviale. À cette occasion, leurs descendants, appelés Congos, perpétuent leur esprit de rébellion et parodient l'histoire en inversant les rôles. Les soi-disant esclaves circulent dans la foule, "kidnappent" des spectateurs et réclament des rançons exorbitantes (quelques pièces suffisent néanmoins à obtenir leur libération). Leurs tenues hautes en couleur caricaturent les parures pompeuses de l'élite espagnole et leur langage inversé imite celui que leurs ancêtres adoptaient pour préparer leurs révoltes.

Les Congos revendiquent aussi leur identité à travers l'art. Les *Bastones,* des bâtons de marche peints, représentent les seules armes qu'avaient les *cimarrones* pour s'échapper et survivre. Les autoportraits sont souvent encadrés de tessons de miroir brisé, symboles à la fois de destruction et de reconstruction.

Ces formes d'expression, de l'art au théâtre de rue, montrent comment vivre avec son passé en assumant ses aspects les plus douloureux. Avec un cœur léger, il est possible de revisiter l'épreuve. Parodiez vos ennemis, mais faites la paix avec eux.

# UN NOUVEL ÉCLAIRAGE

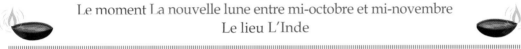

## LE PRINCIPE OUVRIR SON ESPRIT POUR PERMETTRE AUX BELLES CHOSES D'ADVENIR

La tradition Divali ou Dipavali (fête des Lumières)
Le moment La nouvelle lune entre mi-octobre et mi-novembre
Le lieu L'Inde

Un revers dans sa carrière, une dispute avec son conjoint ou une véritable tragédie, comme la mort d'un être proche. Tout le monde peut être confronté à de tels événements. Mais il est parfois essentiel de les relativiser, de les percevoir comme des expériences dont il faut tirer les leçons. On peut alors les laisser derrière soi et prendre un nouveau départ.

Les circonstances changent, mais il est toujours possible de chercher à voir les choses de manière positive.

En Inde, la fête de Divali fournit l'occasion de faire triompher la joie sur la douleur, dans la vie et dans l'esprit, et de repartir sur de nouvelles bases. Cette fête hindoue, qui se déroule sur 5 jours, donne lieu à un grand nettoyage pour accueillir Lakshmi, la déesse de la Bonne Fortune, qui vient visiter les maisons.

Habitations et boutiques sont balayées et blanchies à la chaux. La fête culmine lors de la nouvelle lune, lorsque le ciel noir s'illumine de feux d'artifice et que des rangées de petites lampes à mèche scintillent sur les rebords des toits et des fenêtres.

À travers ce rituel, les Indiens exaltent le côté positif de la vie. Ils célèbrent et accueillent Lakshmi et d'autres divinités bienveillantes tels que Hanuman et Ganesha – "Celui qui enlève les obstacles" et le "Seigneur des débuts prometteurs".

Reprenez l'esprit de Divali dans votre vie quotidienne. Nettoyez votre maison de fond en comble. Vous avez plus d'ambition ? Choisissez un mur et repeignez-le de frais, dans une couleur symbole d'espérance. Et allumez des bougies sur les rebords de fenêtres, les cheminées, les balcons. Réchauffez-vous le cœur et, si possible, partagez ce temps d'espoir et d'amour avec quelqu'un d'autre.

# ÊTRE NÉ QUELQUE PART

## LE PRINCIPE ASSUMER SES ORIGINES POUR COMPRENDRE SON IDENTITÉ

La tradition Le haka des Maori
Le moment N'importe quand
Le lieu La Nouvelle-Zélande

Le monde s'uniformise : il est devenu une sorte de "melting-pot", un gigantesque creuset dans lequel se fondent toutes les différences individuelles.

Dévoré par cette culture mondiale, on risque de perdre de vue ses origines. On n'a plus le sentiment d'appartenir à un groupe et au final, on se sent seul et sans attaches. À l'inverse, renouer avec ses racines contribue à savoir qui l'on est et procure le réconfort de se sentir entouré.

Prenez les Maoris. Leur haka est une forme de danse traditionnelle, aux nombreuses variantes. Certains hakas sont des démonstrations guerrières, d'autres de bienvenue. D'autres encore accompagnent des cérémonies.

Malgré ses cris et sa terrifiante gestuelle poings serrés, le "Kamate Kamate" (le haka emblématique des All Blacks de Nouvelle-Zélande, qui vous donne le frisson avant le match) n'est pas un appel aux armes sur le terrain de rugby. Il célèbre l'évasion d'un ancien chef face à un armée envoyée pour le tuer, mais ce rituel passionné symbolise bien davantage. C'est un moment qui résume la fierté d'une nation, il unit les Kiwis de tous bords. Et il effraie l'adversaire…

Vous aussi, renforcez-vous grâce à l'esprit de groupe. Au niveau personnel, posez des questions à votre famille sur son passé – et n'attendez pas qu'il soit trop tard pour le faire ! Ou lancez-vous dans l'étude de votre arbre généalogique.

Où que vous vous trouviez, n'ayez pas peur de prendre parti pour les "vôtres" (village, département, nation). Non par esprit cocardier. Juste pour vous sentir proche d'un groupe en partageant ses joies et ses déceptions.

# BIENVENUE !

## LE PRINCIPE DÉCOUVRIR LES PLAISIRS DE LA GÉNÉROSITÉ

 La tradition Le sens de l'hospitalité islamique
Le moment N'importe quand
Le lieu L'Ouzbékistan

Enfant, on nous apprend à nous méfier des étrangers. Adulte, on nous incite à fermer nos portes de voiture aux feux rouges, à sécuriser nos maisons, à rester vigilant quand on marche dans la rue la nuit.

Certes le monde peut être hostile, mais notre recherche constante de la sécurité ne nous prive-t-elle pas d'un plaisir très simple qui vient du fond du cœur ? Celui d'aider et d'accueillir un être humain par pure gentillesse.

Avec la vie moderne, le sens de l'hospitalité islamique a perdu de sa ferveur traditionnelle (bien qu'il réserve encore de bonnes surprises !). Mais dans des régions comme l'Asie centrale, en particulier dans les zones rurales, il reste coutumier de donner à son hôte ce dont il a besoin, sa propre pitance au besoin, même s'il s'agit d'un parfait inconnu. Ce faisant, on honore Dieu.

En Ouzbékistan, il est dit : "*mehmon otanda ulugh*", "l'hôte est plus grand que le père". Traditionnellement, la personne qui reçoit tue un mouton pour nourrir un visiteur, et sert à celui-ci les morceaux les plus délicats de la tête de l'animal.

Offrir un œil de mouton à la première personne que vous verrez risque de la mettre en fuite, mais il existe une foule d'autres manières de tendre la main, sans arrière-pensée, à quelqu'un que vous n'avez jamais rencontré auparavant.

Ce touriste perplexe aux prise avec ses billets, son plan et une langue inconnue ? Offrez-lui de l'aide, peut-être même un café et quelques bons tuyaux. Ce nouvel arrivant dans votre *open space* ? Invitez-le à déjeuner avec vos collègues les plus sympas. Ou bien, tout simplement, enlevez votre manteau pour le donner à une institution caritative cet hiver. Cela vous réchauffera le cœur, c'est sûr !

# UNE FÊTE PAS VOLÉE

## LE PRINCIPE APPRÉCIER ET CÉLÉBRER LE TRAVAIL ACCOMPLI

 La tradition Le Crop Over Festival (fête des Récoltes)
Le moment Mai-août
Le lieu La Barbade, Petites Antilles

Chaque matin lorsqu'on se lève, il y a tant à faire que l'on sait que la journée y suffira à peine. On finit une chose qu'il faut déjà passer à la suivante. Vous avez sué sang et eau ? Eh bien épongez votre front pour pouvoir attaquer la tâche d'après aussi vite que possible !

À tout faire dans l'urgence, toute satisfaction du travail accompli disparaît, au point qu'on en oublierait même pourquoi on se donne tant de mal.

Le Crop Over, à la Barbade, est l'une des fêtes les plus importantes de cette île-nation. Son origine remonte aux années 1780, quand les ouvriers des plantations célébraient la fin de la récolte de la canne à sucre. Au défilé des chars transportant les derniers chargements de canne succédait un temps de réjouissances.

Aujourd'hui, le Crop Over reste l'occasion de célébrer dans la joie les fruits de son travail. Il comporte toutes sortes d'animations et de manifestations traditionnelles, sur fond de calypso, de défilés et de bals, de nourritures et de boissons. Les festivités culminent avec le Grand Kadooment, un cortège spectaculaire où les danseurs paradent dans leurs costumes chatoyants.

Pas besoin, toutefois, de travailler dans un champ de canne à sucre ni de frapper le tambour au rythme du calypso pour célébrer ses réalisations. Il suffit de faire de temps à autre un petit retour en arrière pour prendre conscience du travail accompli, puis de trouver une manière de le fêter. Cela renforce la motivation et l'estime de soi. N'en doutez pas, vous l'avez bien mérité !

# LE PLAISIR DES CHOSES SIMPLES

LE PRINCIPE TROUVER SON BONHEUR À TRAVERS DES CHOSES AUSSI SIMPLES QU'UN MOMENT AGRÉABLE ENTRE AMIS

La tradition *Hygge* (moment joyeux et chaleureux)
Le moment N'importe quand, mais en particulier l'été et à Noël
Le lieu Le Danemark

Pour être heureux, nous dit-on, il faut rejoindre 17 réseaux sociaux et multiplier nos amis virtuels sur Facebook. Mais ce genre de plaisir a quelque chose d'artificiel et de superficiel. Son côté envahissant ne cadre pas avec le vrai bonheur. Ce sont souvent les plaisirs les plus simples qui réchauffent le cœur et le corps.

Les Danois en ont bien conscience. C'est probablement la raison pour laquelle ils sont les plus nombreux à se déclarer heureux lorsqu'on pose la question aux habitants du monde entier. Et cela a beaucoup à voir avec un concept de leur invention : le *hygge*.

Ce terme, qui se prononce "hugheu" défie toute traduction directe, mais évoque une atmosphère de joyeuse camaraderie, un bon moment passé dans la chaleur d'un groupe. Comme partager une bonne bouteille de vin rouge devant un feu de bois. Ou inviter des amis proches dans une petite maison au bord de la mer. Ce sont aussi les chants de Noël autour du sapin ou le grésillement des saucisses sur un barbecue en été. Une absence de toute tension et complication, juste un sentiment de bien-être et de sérénité.

Le *hygge* est en réalité facile à trouver : il suffit d'en prendre le temps. Organisez quelques jours de vacances hors des sentiers battus : pas besoin que cela soit onéreux, il suffit de réunir quelques amis et de trouver un lieu où camper, par exemple en bord de mer. Éteignez votre ordinateur et échangez vos amis virtuels pour des amis en chair et en os, invitez-les à bavarder autour d'un café. Ou simplement étendez-vous sur le canapé avec une couverture et un bon livre. Ça y est : vous voilà dans le paradis du *hygge*.

# DANS LA MÊME GALÈRE

## LE PRINCIPE ÊTRE SERVIABLE ET SE SENTIR PARTIE PRENANTE D'UNE COMMUNAUTÉ

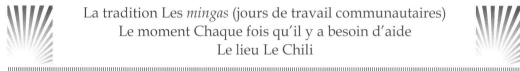

La tradition Les *mingas* (jours de travail communautaires)
Le moment Chaque fois qu'il y a besoin d'aide
Le lieu Le Chili

Nous vivons une époque très individualiste. On nous apprend à satisfaire nos propres besoins et nous nous gonflons d'orgueil comme un petit enfant dès que nous pouvons annoncer "c'est moi qui l'ai fait" ! Bien avant de nous être envolé du nid familial, il n'y a rien que nous appréciions tant que l'indépendance.

De même que nous répugnons à demander de l'aide, de même nous ne sommes guère empressé à rendre service. La tendance au repli sur soi ne semble faire aujourd'hui aucun doute. Pourtant, rien de tel qu'une bonne équipe ! La preuve, dans la nature, les abeilles et leurs ruches ou les lionnes africaines qui chassent en groupe.

Sur l'archipel chilien de Chiloe, la *minga* est la réunion volontaire de voisins qui travaillent tous ensemble avant de partager un festin. Cette tradition est enracinée dans l'histoire de ces pêcheurs et paysans qui ont toujours compté les uns sur les autres pour les travaux les plus difficiles.

Il peut s'agir de ramasser les pommes de terre, de couvrir de bardeaux une grange ou même de déplacer une maison entière sur des rondins – avec l'aide d'un troupeau de bœufs – jusqu'à un nouveau terrain. En remerciement, celui à qui l'on a apporté son aide fait cuire un mouton entier au barbecue ou offre un festin de poisson, dans une ambiance rendue encore plus joyeuse par le *chicha*, la bière locale à base de maïs.

Et si nous introduisions un peu de ces traditions dans nos vies ? Un copain rénove son appartement ? Pourquoi ne pas lui donner un coup de pinceau ? Et inversement, osez demander sans complexe de l'aide à vos amis... et offrez-leur une fête digne de ce nom en retour.

# CARPE DIEM

LE PRINCIPE PROFITER DU MOMENT PRÉSENT
(ON NE SAIT JAMAIS CE QUE LA VIE NOUS RÉSERVE !)

La tradition Mardi gras
Le moment 47 jours avant Pâques (février/mars)
Le lieu La Nouvelle-Orléans, États-Unis

Fais pas ci, fais pas ça ! Depuis notre plus jeune âge, on nous assène ordres et interdits. On *doit* se brosser les dents, on *ne doit pas* mettre les coudes sur la table. On *doit* travailler dur, on *ne doit pas* rêvasser.

Les règles, les interdits, les craintes de ce que peuvent penser les autres finissent par gouverner nos vies.

Seuls quelques jours du calendrier permettent à chacun, jeune ou vieux, de décider quoi faire dans le *moment présent*. Le Mardi gras est l'un de ces jours et il prend une forme spectaculaire à La Nouvelle-Orléans. Pour l'occasion, tout le monde peut se déguiser et se grimer puis s'échapper de la grille serrée des "tu dois/tu ne dois pas".

À La Nouvelle-Orléans, comme en France, au Brésil, en Belgique, au Sénégal et dans d'autres pays, le Mardi gras marque l'apogée de la période du carnaval. Dernier jour avant les restrictions du carême, on considère souvent que c'est un moment où tous les excès sont permis dont force alcool et tapage.

Tout le monde se libère de ses inhibitions et profite de l'occasion pour arborer des vêtements scintillants, caracoler, danser, chanter et rire.

Mais qui vous empêche, même en dehors de Mardi gras, de décider de faire chaque jour une chose dont vous avez vraiment envie ? Sans aller jusqu'à danser la rumba en arborant un boa de plumes devant le distributeur de boissons du bureau, vous pouvez monter le son et sauter dans votre séjour. Porter une écharpe rayée brillante. Ou simplement prendre le temps de contempler la nuit étoilée.

Cette journée vous appartient (le passé est terminé et l'avenir incertain) : profitez-en !

# FAMILLES, JE VOUS AIME

 **LE PRINCIPE CULTIVER LES LIENS FAMILIAUX**

La tradition Raksha Bandhan

Le moment Le jour de la pleine lune du mois hindou de Shravan (juillet ou août)

Le lieu L'Inde

Quel est l'enfant qui ne s'est jamais chamaillé, voire battu, avec ses frères et sœurs ? Et qui n'a jamais, à un moment donné, accusé ses parents d'être responsables de tous ses problèmes et de ses déceptions ?

Une fois adulte, les conflits avec les membres de notre famille persistent parfois, mais comme le dit le vieil adage "on ne choisit pas sa famille" ! Il se peut aussi que vous n'en fassiez pas grand cas ? Votre famille regroupe peut-être des personnalités conflictuelles, mais il n'empêche que ce sont les personnes parmi les plus proches que vous ayez dans la vie. Qui d'autre vous connaît depuis aussi longtemps ?

Les hindous, en Inde, fêtent chaque année le lien qui unit frères et sœurs lors du Raksha Bandhan qui signifie "le lien de protection". C'est un jour de fête joyeux et bon enfant durant lequel les filles disent des prières pour leurs frères, préparent des plats spécifiques et attachent cérémonieusement un *rakhi*, un bracelet de coton ou de soie, au poignet droit de leurs frères. Lien qui symbolise affection, amour et protection.

En retour, les filles se voient offrir des cadeaux par leurs frères, qui les bénissent et leur promettent de veiller sur elles durant l'année à venir. Pour ceux qui n'ont pas de fratrie, cousins, oncles et tantes peuvent être honorés de la même façon. La pratique commence dans l'enfance et se perpétue la vie durant.

Voyez-vous quelque chose d'amusant ou de spécial que vous puissiez faire avec un membre de votre famille pour lui marquer votre attachement ? Un rituel pour symboliser et renforcer votre lien unique ? Alors que les amis vont et viennent, un parent reste un parent. On peut trouver refuge auprès de lui ou passer quelques-uns des meilleurs moments de notre vie en sa compagnie.

# ON PARTAGE ?

LE PRINCIPE SE DÉFAIRE D'UNE CHOSE À LAQUELLE
ON ACCORDE DE LA VALEUR

 La tradition L'*inati* (partage)
Le moment Tous les jours
Le lieu Les îles du Pacifique, notamment Tokelau et les îles Cook

Et moi, et moi, et moi ! On n'entend plus que ça de nos jours !

Le sens de la communauté disparaît à mesure que nous nous replions derrière nos portes closes. Au lieu de jouer dans un groupe nous voulons tous faire des carrières solo. Combien d'entre nous connaissent à peine leurs voisins, et qui se soucie de leur bien-être ? Nous sommes tous focalisés sur nos carrières et nos besoins, et nous ne redoutons rien tant que l'on vienne troubler notre tranquillité. Inéluctablement, notre société devient de plus en plus indifférente et maussade.

Sur le minuscule archipel de Tokelau, l'un des plus isolés au monde, un tel individualisme serait inconcevable. Composé de trois atolls coralliens idylliques, à 20 heures de bateau des Samoa, l'archipel le plus proche, Tokelau ne peut survivre qu'à condition que sa minuscule population coopère, que ceux qui *ont* aident ceux qui *n'ont pas*.

Malgré l'influence croissante du monde occidental et de son consumérisme envahissant, le système de l'*inati* (partage) continue de se pratiquer à Tokelau. Tous les jours, la pêche est étalée sur la plage et le *taupulega* (conseil) du village la répartit en fonction des besoins de chacun.

Pas besoin d'être de Tokelau pour adopter les principes de l'*inati*. Commencez par regarder autour de vous : y a-t-il des gens qui ont besoin d'aide ? Et si vous prépariez un repas pour un voisin âgé ? Ou si vous donniez quelques légumes de votre potager aux amis qui n'ont pas de jardin (ou pas la main verte) ?

Vous pouvez aussi partager votre temps et vos talents. Proposez votre aide pour réparer une clôture ou pour remplir des papiers administratifs. Et dites-vous bien que c'est une vraie chance d'être dans la position de celui qui peut offrir son aide…

# DE LA MESURE
# AVANT TOUTE CHOSE

## LE PRINCIPE FAIRE PREUVE DE MODÉRATION ET DE SOUPLESSE

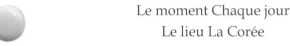

La tradition *Obangsaek* (5 couleurs traditionnelles en harmonie)
Le moment Chaque jour
Le lieu La Corée

Qui, de nos jours, n'éprouve pas le sentiment que sa vie manque d'équilibre ? Nous travaillons plus que nous ne nous amusons et passons davantage de temps enfermé qu'en plein air. À rester assis toute la journée devant un ordinateur, on se sent facilement au bord de l'épuisement total.

Les gourous du développement personnel discourent sur l'importance de prendre soin de soi, mais la recherche de l'équilibre et de l'harmonie est une vieille tradition orientale. Diverses cultures asiatiques pensent que l'univers est constitué de cinq éléments naturels (eau, feu, terre, métal et bois). En Corée, l'*obangsaek*, c'est à dire les 5 couleurs traditionnelles, rouge, noir, jaune, blanc et bleu/vert, correspondent à ces cinq éléments et sont respectivement associées aux cinq saveurs de base amère, aigre, douce, épicée et salée. En équilibrant ces composants dans un plat

et en créant une harmonie de couleur et de goût, on s'assure pouvoir, santé et bonheur.

Le *bibimbap*, le plat coréen par excellence, illustre bien ce principe : il comporte des ingrédients coupés en julienne et en quantité égales tels que carotte, champignon *pyogo* noir, racine de campanule blanche et persil d'eau vert disposés de façon concentrique autour d'un jaune d'œuf sur un bol de riz. En mélangeant le tout avant de le manger, chaque partie se sublime dans l'ensemble.

Honnêtement, votre vie n'est-elle pas un peu bancale ? Quittez-vous votre travail à temps pour voir vos amis ? Faites-vous régulièrement des exercices physiques ? Tirez les leçons de la cuisine colorée coréenne. On ne va pas vous demander de couper des légumes en dés durant des heures. Mais dans la vie comme dans l'assiette, un mélange plus équilibré peut donner un très beau résultat.

# DE TOUTES LES COULEURS

## LE PRINCIPE LIBÉRER SON ÂME D'ENFANT ET S'AMUSER

La tradition Holi
Le moment Phalguna (février/mars)
Le lieu L'Inde

Sans cesse, il faut lutter. Lutter pour avoir un bon travail. Lutter pour en avoir un meilleur. Lutter pour acheter une maison. Lutter pour finir de la payer. Lutter pour séduire l'amour de notre vie. Lutter pour trouver un sens à sa vie… Après ça, comment s'étonner de l'énorme consommation d'antidépresseurs dans nos sociétés.

Notre vie frénétique mobilise tout notre souffle et nous ne laissons plus respirer l'enfant qui devrait s'exprimer en chacun de nous. Nous nous retrouvons simples adultes, épuisés et désenchantés.

Vous n'en pouvez plus de vous battre ? Pensez jolie Holi ! Cette fête hindoue des couleurs, qui marque dans la joie le début du printemps, voit les gens de toutes castes abandonner leur routine quotidienne pour libérer l'enfant qui est en eux. Et de quelle manière ! Ils s'amusent à s'asperger les uns les autres avec des ballons remplis d'eau et à se lancer des poignées de poudres colorées.

Cette fête qui a lieu sous le bon augure de Phalguna est aussi l'occasion de se régaler de délicieux *mithai* (sucreries indiennes) et d'un *lassi* spécial (une boisson glacée à base d'eau, d'amandes, de pistaches, de pétales de roses, voire de *bhang*, un dérivé de la marijuana).

Toujours dans le cadre de Holi, on allume des feux de joie pour symboliser la défaite de Holika, une diablesse, et avec elle de toutes les forces du mal.

Vous n'en pouvez plus de cette course sans fin, de cette lutte perpétuelle ? Pourquoi ne pas mettre de la couleur dans votre vie ? Une bataille de pistolets à eau suivie d'un festin avec des amis aura sur vous l'effet d'un bain de jouvence.

Ou alors, détruisez symboliquement vos démons en écrivant vos soucis sur des bouts de papier que vous froisserez, avant de les brûler pour les regarder disparaître en volutes bleus (qui envoient au paradis ?).

# QUELQU'UN DE BIEN

## LE PRINCIPE COMPRENDRE QUE NOUS AVONS TOUS BESOIN LES UNS DES AUTRES

La tradition Ubuntu
Le moment Juillet
Le lieu Le Cap, Afrique du Sud

Le culte de l'individu domine le mode de vie occidental actuel. Nous sommes entièrement centrés sur nous, nos problèmes et nos succès. Spontanément, nous ne nous percevons pas comme faisant partie d'un plus vaste ensemble. Mais à se dresser seul, on tombe seul.

À l'inverse, l'*ubuntu* est un concept africain selon lequel aucun humain n'existe isolément. Il est souvent traduit par "Je ne suis une personne qu'à travers les autres personnes." Selon l'*ubuntu*, tout ce que fait l'un affecte les autres et le bien-être de chacun dépend du bien-être de tous.

Responsabilité morale, générosité et empathie vont de pair avec ce mode de pensée. Cela signifie que les Africains invitent sans hésiter des étrangers dans leur maison et les nourrissent s'ils ont faim. Cela veut dire aussi que les enfants sont élevés par tous les habitants du village plutôt que laissés à la charge de leurs seuls parents. Et, comme l'interdépendance joue dans les deux sens, les gens sont aussi bien prêts à accepter de l'aide qu'à en donner.

Cette ancienne philosophie donne lieu à la fête d'Ubuntu, chaque année en juillet au Cap. Ces festivités qui durent cinq jours sont marquées par des causeries et des manifestations sur le thème des relations humaines.

Pratiquer l'*ubuntu* dans votre propre vie peut déjà consister à cultiver l'empathie. Écouter les autres, les écouter *vraiment*, et se mettre à leur place.

Donner bénévolement de votre temps à une œuvre caritative dans votre pays ou à l'étranger est aussi un formidable moyen de découvrir ce sentiment d'appartenance et d'unité, de comprendre les besoins des autres. Et n'hésitez jamais à appeler à l'aide, vous n'avez pas à tout faire tout seul !

# INDEX

# EN COULISSES

**HAPPY**
Octobre 2011

Traduit de l'ouvrage
*Happy – Secrets to Happiness from the Cultures of the World*
© **Lonely Planet Publications Pty Ltd 2011**
Traduction française
© Lonely Planet 2011
12 avenue d'Italie, 75627 Paris Cedex 13
01 44 16 05 00

**www.lonelyplanet.fr**

ISBN 978 2 81611 134 7

Textes et illustrations © Lonely Planet Publications Pty Ltd 2011

Photos © comme indiqué 2011

**IMPRIMÉ EN FRANCE**
par Loire Offset Titoulet
Réimpression02, février 2012

**ÉDITION AUSTRALIE** Piers Pickard, Ben Handicott, Bridget Blair, Janet Austin, Jackey Coyle et Pat Kinsella

**DESIGNERS** Mark Adams, Dan Baird, Seviora Citra, Christopher Ong

**MAQUETTE AUSTRALIE** Nicholas Colicchia, Paul Iacono

**RÉDACTEURS** Alexis Averbuck (p. 103, 115), Sarah Baxter (p. 15, 25, 29, 57, 105, 111, 119), Bridget Blair (p. 13, 33, 35, 53, 67, 75, 125), Piera Chen (p. 41), Nigel Chin (p. 45, 49, 109), Kerry Christiani (p. 97), Gregor Clark (p. 69, 91), Lisa Dunford (p. 121), Ben Handicott (p. 17, 51), Virginia Jealous (p. 95), Michael Kohn (p. 99), Jessica Lee (p. 81), Alex Leviton (introduction), Emily Matchar (p. 19), Carolyn McCarthy (p. 101, 113), Rebecca Milner (p. 37, 43), Gabi Mocatta (p. 87), Rose Mulready (p. 21, 23, 27, 47, 61, 63, 73, 107), Etain O'Carroll (p. 79), Dan Savery Raz (p. 31), Craig Scutt (p. 65, 71), Sarina Singh (p. 83, 123), Meredith Snyder (p. 85), Kate Thomas (p. 83), Caroline Veldhuis (p. 39, 59, 77, 117)

**ILLUSTRATEURS** Mark Adams (p. 12, 46, 86, 108), Peter Caddy (p. 40, 90, 122), Samantha Curcio (p. 20, 30, 68, 84, 92), Hugh Ford (p. 18, 36, 50, 58, 62, 66, 76, 82, 100, 116), Andy Lewis (p. 14, 26, 42, 56, 78, 96, 102, 110, 118), Christopher Ong (p. 16, 32, 48, 60, 74, 80, 104), Michael Ruff (p. 22, 38, 44, 52, 94, 98, 106, 112, 124)

**DIRECTEUR ÉDITORIAL FRANCE** Didier Férat

**COORDINATION ÉDITORIALE FRANCE** Dominique Bovet

**COORDINATION GRAPHIQUE FRANCE** Jean-Noël Doan

**MAQUETTE FRANCE** Marie Dautet

**COUVERTURE FRANCE** Couverture originale de Mark Adams et Dan Baird, adaptée par Alexandre Marchand

**MERCI À** Dolorès Mora pour son travail sur le texte. Un grand merci également à Dominique Spaety, sans oublier Darren O'Connell, Chris Love, Craig Kilburn, Carol Jackson du bureau australien, et Clare Mercer, Tracey Kislingbury, Mark Walsh du bureau londonien

**TRADUCTION FRANÇAISE** Thérèse de Chérisey

**CRÉDITS PHOTOGRAPHIQUES** Agefotostock (p. 116) , Corbis (p. 34), Getty Images (p. 127), iStockphoto (p. 72, 86, 92, 120), Lonely Planet Images (p. 16, 24, 30, 68, 70, 94), Photolibrary (p. 28, 46, 46, 64, 72, 86, 108, 114, 124), Shutterstock (p. 60), Smithsonian American Art Museum, Washington, DC Art Resource, NY (p. 20)